ZAFER ŞENOCAK

Der Erottomane

EIN FINDELBUCH

Babel Verlag Bülent Tulay

Die Deutsche Bibliothek – CIP-Einheitsaufnahme

Şenocak, Zafer:
Der Erottomane : ein Findelbuch / Zafer Şenocak. - 1. Aufl. -
München : Babel-Verl., 1999
    ISBN 3-928551-93-0

1. Auflage 1999
© Babel Verlag, München
Alle Rechte vorbehalten
Lektorat: Eva Hund
Satz: Pinkuin Satz und Datentechnik, Berlin
Gesetzt aus der 10,5/13 Punkt Stempel-Garamond
Druck: Fuldaer Verlagsanstalt
Printed in Germany

ISBN 3-928551-93-0

Ich bin aus unserer Wohngemeinschaft ausgezogen. Man kann nicht auf Dauer mit zwei Frauen zusammenleben.

Elisabeth und Susanne hatte ich bei der Wohnungsbesichtigung kennengelernt. Die Wohnung war unter dem Dach und hatte vier helle Zimmer. Sie gefiel mir auf den ersten Blick. Doch für mich allein wäre sie zu groß gewesen. Die beiden Frauen waren mir in der Schar der Interessenten sofort aufgefallen. Sie waren gleich groß und sahen sich ähnlich. Auch ließ ihre unauffällig elegante Kleidung auf einen ähnlichen Geschmack schließen. Hose, Pullover und ein ungemusterter Schal um den Hals. Ich spreche ungern Menschen an, die ich nicht kenne. In diesem Fall aber war es meine einzige Chance. Ich überwand meine Scheu. »Sind Sie Schwestern?« fragte ich möglichst freundlich. Sie lachten. Ich war erleichtert. »Nein, wir kennen uns nicht einmal.« Die ältere der beiden hatte auf meine Frage geantwortet. Das war ein gutes Zeichen. Es gibt so etwas wie eine kommunikative Hierarchie zwischen den beiden, es könnte funktionieren, dachte ich mir. »Ich finde, wir sollten uns die Wohnung nicht entgehen lassen«, beeilte ich mich zu sagen. »Ich habe Sie beobachtet. Sie finden die Wohnung ganz toll, aber zu groß, nicht wahr.« »Sie beobachten gut«, antwortete die Jüngere. »Ich heiße Susanne«. Nach der Vorstellungsrunde beschlossen wir zusammenzuziehen. Der Makler war zuerst skeptisch, da er uns nicht abnehmen wollte, daß wir uns nicht kannten. Er witterte irgendeine Verschwörung. »Wenn Sie glauben, auf diese Weise den Mietzins herunterhandeln zu können, liegen Sie ganz falsch«, sagte er hastig, in einem gewollt bestimmten Ton. Wir wollten die Wohnung um jeden Preis.

Schon vom ersten Tag an verbündeten sich die beiden Frauen gegen mich. Ich kenne das sowieso nicht anders. Als Kind waren es meine Mutter und meine Schwester, die mir das Leben schwer machten. Ich möchte nicht mißverstanden werden. Ich beklage mich nicht darüber. Vielmehr genieße ich die weibliche Sphäre, die Enge, die durch das permanente Zusammenleben mit zwei oder mehreren weiblichen Wesen entsteht. »Du lebst doch nur mit uns zusammen, um deine Bücher schreiben zu können.« Diesen Vorwurf habe ich mir angehört, solange ich an meinen Texten schrieb. Ich kann nicht begreifen, warum Frauen keine Musen mehr sein wollen. Können sie auf angenehmere Weise von einem Mann belästigt werden, als auf diese zugegeben altmodische Art? Aber die Rätsel zwischen Männern und Frauen werden erst dann geheimnisvoll, wenn man es aufgibt, sie lösen zu wollen. Sobald ich meine Moabiter Trilogie fertiggeschrieben hatte, packte ich die Koffer. Einen guten Vorschuß vom Verlag in der Tasche, wollte ich aufbrechen. Nach Asien. Mindestens ein Jahr lang, vielleicht auch länger, entlang der Seidenstraße. Schon als Kind hatten Städtenamen wie Buchara und Samarkand für mich einen faszinierenden Klang. Ich stellte mir diese Städte ganz anders vor als in den Märchen, die ich furchtbar langweilig fand. Die Menschen in diesen Städten waren Außerirdische, die eine tödliche Attacke auf den Rest der Welt vorbereiteten.

Mit dem Zeigefinger auf dem Weltatlas fuhr ich immer wieder meine Reiseroute auf und ab. An der Donau entlang bis nach Konstanza, mit dem Schiff weiter nach Istanbul, auf dem Landweg an der Schwarzmeerküste entlang bis nach Trapezunt, von dort aus mit dem Schiff einen Abstecher nach Odessa. In Odessa erster längerer Aufenthalt. Weiter nach Baku, Aschabad, Taschkent, Buchara, Samarkand, Mongolei, Chinesische Mauer, Peking, Shanghai. In Shanghai wollte ich eine Freundin besuchen, die dort als Deutschlehrerin arbeitete. Ich folgte nicht den Spuren Marco Polos. Ich wollte meine eigene Seidenstraße konstruieren. Ich war in meinem Leben nicht oft gereist. Die kurzatmigen Urlaubsreisen, bei denen man für ein paar Tage oder Wochen in eine andere Landschaft versetzt wird und dabei immer mit sich allein ist, waren nicht meine Sache. Ich träumte von einer großen Reise, vom Wegkommen, vom Sichselbstverlieren, vom Verwischen der eigenen Spuren. Wenn ich an meine Reise dachte, konnte ich pathetisch werden.

Auf meinem Schreibtisch stapeln sich Reiseführer, Stadtpläne, Atlanten. Konstanza. Odessa. Baku. Taschkent. Samarkand … Aus der Reise wird nichts. Seit ein paar Tagen bewohne ich ein möbliertes Appartement im Neuen Westen von Berlin, eingerichtet nach dem Geschmack der siebziger Jahre. Bräunliche, vom Rauch verwelkte Fasertapeten, viel Kunststoff. Die Wohnung ist winzig und teuer, ein Raum, eine Stehküche, ein Bad. Der Blick aus dem Fenster aber reicht weit, ein großes grünes Grundstück mit Linden und Kastanienbäumen, einige Fassaden aus der Jahrhundertwende, ein paar Vogelscharen, all das scheint mir jetzt wichtig zu sein.

»Gestern abend hat die Polizei die Prostitu-
ierte Adelheid S. in ihrer Charlottenburger
Wohnung festgenommen. Sie wird dringend
verdächtigt, gemeinsam mit drei Komplizen
den letzte Woche in der Spree tot aufgefunde-
nen jungen Mann getötet zu haben. Das Opfer konnte bisher nicht identifiziert werden.«

*Eine Zeitungsmeldung und ein Anruf von Tom durchkreu-
zen meine Pläne. Tom ist Staatsanwalt. Für mich aber ist er
so etwas wie eine männliche Muse. Eine, die sich über diese
Rolle nicht beklagt. Ich hatte einige Semester Rechtswissen-
schaft studiert. Ich brach das Studium vor dem ersten Staats-
examen ab. Ich hatte gemerkt, daß der einzige Grund, warum ich Jura studierte, mein Voyeurismus war. Für die Ju-
risten sind die Lebensgeschichten anderer immer in einer
radikalen Weise bloßgestellt. Als Gerichtsreporter oder
Kriminalschriftsteller würde ich mehr Erfolg haben denn als
Anwalt oder Richter. Das waren nicht meine Worte. Erfolg
bedeutete mir nichts. Das war vielmehr die Meinung von
Tom, mit dem ich mich während des Studiums angefreundet
hatte. Tom hieß nicht immer Tom. Um in den Staatsdienst
aufgenommen zu werden, mußte sich der gebürtige Türke
einer »kosmetischen Operation«, wie er es nannte, unterzie-
hen. Er nahm die deutsche Staatsbürgerschaft an. Da er keine halben Sachen mochte, änderte er bei dieser Gelegenheit
auch seinen Namen. So heißt er jetzt nicht mehr Tayfun,
sondern Tom.*
*Ich bin nicht unbedingt auf Freunde angewiesen, aber ich
brauche immer jemanden um mich, mit dem ich streiten*

8

kann. Tom war so einer. Er war so etwas wie ein idealer Freund. Denn er suchte meine Nähe, um mich zu provozieren.

Ich hatte schon immer geahnt, daß Tom schreibt. Immer, wenn er mir von einem Fall erzählte, der für mich von Interesse sein konnte, hatten seine Ausführungen schon eine literarische Struktur. Oft mußte ich ihm Fragen stellen, um den Fall, der sich hinter seiner Darstellung verbarg, zu rekonstruieren. Dieses Mal aber rückte er den Text heraus, den er im Laufe seiner Recherchen zum Mordfall R. verfaßt hatte. Wortlos hatte er mir den Text übergeben, als wir uns in unserer Stammkneipe am Winterfeldtplatz trafen, um über die Ermittlungen zu sprechen.

»Die Leiche war schon zerfressen, als sie aus der Spree geborgen wurde. Es gibt zahlreiche Ratten im Fluß. Es kann nicht lange gedauert haben, bis der leblose Körper in Stücke gerissen war. Der Tote hatte Aufzeichnungen hinterlassen. Nur wenige kannten ihn. Er hatte allein gelebt. Ein typischer Vertreter seiner Generation. Diese Generation glaubt nichts mehr zu vertreten. Sie lebt in einem Vakuum, ohne Widerstände zu spüren. Die Väter sind übergroß. Kinder nicht in Sicht. Familienleben kommt nur sporadisch vor.

Der Verzicht auf jegliche Uniformität hatte ihn fast ganz durchsichtig gemacht. Sein Körper diente der Ausstellung und der Durchsichtigkeit. Seine Triebe schrieben ihm vor, sich Frauen hinzugeben ohne sein Geschlecht zu fühlen. Das Geschlecht des Mannes ist längst nicht mehr eine Verlängerung seines Körpers, sondern ein Reisender, der unbekannte Orte aufsucht. An diesen Orten hinterläßt er keine Spuren. Das Geschlecht ist ein lauernder, verschwiegener Forscher. Die Triebe dagegen sind Reflexe, die auf Licht, Gerüche und andere Körper reagieren. Den anarchischen Zustand seines Körpers hatte er als miniaturhafte Abbildung des anarchischen Zustandes der Gesellschaft wahrgenommen, ohne daß ihm dabei das Wort Freiheit in den Sinn gekommen wäre. Wo es keine Ordnung mehr gibt, verliert auch die Freiheit jegliche Bedeutung.

Er starb einsam, aber nicht als weiser Mann. Die Zeiten, als Eremiten weise Männer waren, sind längst vorüber. Er war kein Romantiker gewesen. War er ein Opfer? Hatte er es einfach nur versäumt eine Selbsthilfegruppe aufzusuchen? Doch wirkt die Therapie noch glaubhaft? Sind wir nicht vielmehr damit beschäftigt, unsere Marotten und Krankheiten wie unseren letzten Besitz zu hüten?

Er hatte es aufgegeben, nach Antworten auf diese Fragen zu suchen. Eigentlich suchte er nicht einmal mehr nach Fragen. Er hatte sich mit seinem Leben abgefunden. In Anlehnung an seine unabschüttelbare Herkunft und sein

verwegenes Schicksal nannte er sich einen Erottomanen.

Irgendwann einmal im Leben hört jeder auf,
sich Fragen zu stellen. Man überläßt dieses
Geschäft anderen, jüngeren. Erfahrung belegt
die Gefühle und hemmt die Neugier. Er wurde nicht alt. Er fühlte sich wie der letzte Vertreter eines alten Geschlechts, dessen Schicksal es ist, früh zu sterben. Wir wissen nicht,
wie weit er mit seinen Gedanken gekommen
ist, bevor ihm der Prozeß gemacht wurde. Es
gibt nur Aufzeichnungen von ihm.

Manchmal verschwinden Menschen lange,
bevor sie sterben, aus dem Leben. Sie verschwinden hinter einem Gerüst, das andere
aufgestellt haben, um sie zu orten. Der Körper wird zum Wintergarten der Seele. Und
manchmal überleben sie ihren Tod, wenn sie
ihre Eigenschaften nicht verleugnen.«

*»Das ist unfair«, kommentierte ich seinen Text, nach dem er-
sten Überfliegen. »Du weißt viel mehr über das Opfer als ich.
Unter diesen Umständen kann ich an diesem Stoff nicht wei-
terarbeiten.« Er nippte an seinem Cognac, blickte mich etwas
verlegen an. »Das ist alles erfunden«, beteuerte er mit gesenk-
ter Stimme. »Das ist ja noch schlimmer«, rief ich. Ich spielte
den Entrüsteten. Insgeheim aber freute ich mich über den
Konkurrenten. Ich dachte nicht daran, ihn über die Schwä-
chen seines unbeholfenen Textes aufzuklären. Ich wünschte
ihm viel Erfolg bei seinen Schreibversuchen. Tom machte ei-*

nen bedrückten Eindruck. Es wurmte ihn, daß ich sein Schreiben nicht kommentierte, so wie er es seit Jahren als mein kritischer Leser und liebevoller Exeget getan hatte. »Ich will mit dir nicht konkurrieren«, gab er kleinlaut von sich. »Es ist nur so, daß es mich geradezu danach drängt, über diesen Fall zu schreiben. Erst jetzt kann ich verstehen, was Schreiben bedeutet. Bisher waren Schriftsteller für mich Briefeschreiber. Geduldige, autistische Briefeschreiber, die ein Leben lang an unbekannte Adressaten schreiben. Aber jetzt ahne ich, daß der Schreiber selbst dieser Adressat ist, der einzige Adressat.« »Du bist bald reif für eine Germanistikprofessur, wenn du weiter so fabulierst. Ich warne dich, Literaturwissenschaftler haben von Literatur meistens genauso viel Ahnung wie Ärzte von Körpern. Aber du bringst mich dabei auf eine gute Idee. Kannst du mir einige Geschichten aus dem Nachlaß des Ermordeten überlassen?« Tom griff in seine Aktentasche und holte ein Manuskript heraus. »Hier sind einige Gedichte von ihm«, sagte er leise. »Ich würde sie eher als Sentenzen bezeichnen. Man hat sie in einem Rucksack gefunden, in einem Waldstück, unweit der Leiche. Die Tatverdächtige hat den Rucksack identifiziert. Das Opfer, sein Name ist R., muß ihn zuletzt bei sich gehabt haben. Ich sortiere seine Geschichten noch und werde dir etwas zum Lesen geben, sobald ich mir einen Überblick verschafft habe.«

Gedichte
aus dem Nachlaß von R.

Er hatte ihr den Ring vom Ohr gerissen, als sie ihm sagte, daß sie ihn verlassen würde. Es war Nacht. Es gab keine Zeugen. Am nächsten Tag lagen Ring und Verschluß in gehörigem Abstand voneinander auf dem verdreckten Boden des Bahnsteigs.

»Ich suche Ersatz für die versaute Ehefrau, die mir abhanden gekommen ist.«
»Ich habe eine für dich. Aber sie ist heute leider nicht hier. Sie hat sich den Fuß verstaucht. Komm am Donnerstag wieder.«

»Ich kann einfach nicht sterben«, sagt sie mit geschlossenen Augen. »Ich kann die Welt, die du vor Augen hast, nicht sehen.« Neben ihr sitzt ein junger Mann. Er hat seine Hand auf ihren Schoß gelegt. Ob er sie halten will, oder wegschubsen?

Ein Paar auf dem Heimweg. Sie sind eingeschlafen, Arm in Arm auf der Wartebank. Die Mütze des Mannes liegt auf dem Boden.

Beim Warten auf die U-Bahn, ein Mann und eine Frau auf dem Bahnsteig. Er geht auf und ab. Sie geht auf und ab.

Mal entfernen sie sich voneinander, mal kommen sie sich näher. Der Laufsteg wird immer kürzer.

Sie hatte sich Mühe gegeben nicht zu lügen. »Können diese Augen lügen?« fragte sie den Zweifelnden. Gerne wäre er in diesem Augenblick gegangen. Wenn er gewußt hätte, wohin.

Ich bin großzügig.
Ich gebe jeder Liebe acht Tage.

Ein paar Tage später erhielt ich von Tom tatsächlich einige Texte aus dem Nachlaß von R., die ich für mich »Das Findelbuch des Erottomanen« nannte.

Vorrede

Ich habe mich in der Sprache geirrt.
Ich bin ein Doppelzüngler, der nicht weiß, welche seiner Zungen seine Worte mitteilt, welche sie verheimlicht.

Ich bin kein Idol.
Ich trete meine Reisen nicht an, um jemandem den Weg zu zeigen.

In meinem Gedächtnis ist nichts gespeichert, was zum Erinnern auffordert. Ich schrieb lange Zeit nichts, nicht einmal Tagebuch, bis zu den Ereignissen, die ich im Folgenden schildere.

Ich war lediglich mit meinen Beziehungen beschäftigt. Eine Frau, die lange Reisen nach Asien unternommen hatte, um Glück in der Liebe zu finden, war nach ihrer Rückkehr bei mir untergekrochen.

»Du bist der Richtige«, meinte sie schon bei unserer ersten flüchtigen Begegnung. Später verstand ich, was sie im Sinne hatte: Sie war lange in der Fremde gewesen, fern von allem, was ihr vertraut war. Da schien es ihr jetzt unmöglich, Geborgenheit bei einem Mann zu finden, der überhaupt nicht fremd war. Ich war irgendwie fremd für sie.

Etwas an mir erinnerte sie an Asien. Ein deutscher Mann in meiner Lage hätte sich geschmeichelt gefühlt. Ich dagegen fühlte mich deplaziert, unverstanden, irgendwie ins falsche Fach gelegt.

Trotzdem hinderte mich die Beziehung zu ihr lange daran, meine Koffer zu packen. Wie kann man eine Beziehung beenden, die eigentlich gar nicht begonnen hat? Ich wollte nicht über meine Fremdheit diskutieren und auch nicht über meinen Körper als Ersatz für meine Fremdheit.

Ich fühle mich auch als halber Asiate, als ganzer Europäer. Ich denke mir sogar, daß man diesen Kontinent »Europa«, der nichts anderes als die geballte Faust Asiens ist, nur deshalb zum Kontinent erklärt hat, um mir einen Platz zu geben. Ich bin in allen Metropolen Europas zu Hause, bin hier unter Meinesgleichen. Mal nennt man mich Inder, mal Armenier, mal Türke. Ich kann die Ureinwohner Europas verstehen, die sich in Europa nicht mehr ganz zuhause fühlen. Ich wollte ihre Gefühle nicht verletzen, aber ich habe mein Haus auf ihrem Territorium gebaut. So wie sie einst ihre Häuser auf den Territorien meiner Großväter errichtet hatten. So wie sie bin auch ich nicht heimisch geworden. Deshalb reise ich. Die Welt ist durchlässiger geworden, ohne daß man sagen könnte, sie sei durchsichtiger.

Der Antiquar

Ich hatte nicht vor, in dieser Stadt zu bleiben. In letzter Zeit hatte ich auf meinen Reisen keine Ziele mehr. Ich übernachtete jede Nacht in einer anderen Stadt. In einem billigen Hotelzimmer konstruierte ich meine Route für den nächsten Tag. Diese Routen gab es oft nur auf meiner Landkarte. Ich hatte diese fünfzig Jahre alte Karte vor dem Beginn meiner Reisen bei einem Trödler gekauft. In ihr waren Wege verzeichnet, die einstmals, noch bevor Reisen allgemein in Mode kamen, von großer Bedeutung gewesen waren, die heute aber von kaum jemanden benutzt wurden.

Die Stadt war ruhig, als ich ankam. Es war Winter und in dieser Region ist er streng. »Sibirien des Südens« nennt man diesen Teil der Erde, den ich in letzter Zeit aufsuchte, weil die Widersprüche dieser Landschaft mich reizten. Auch auf diese Reise hatte ich mich kaum vorbereitet, hatte nur einen kleinen Koffer mit den nötigsten Dingen dabei. Ich hatte es mir angewöhnt in jeder Stadt, die ich besuchte, mich neu einzukleiden, wegzuwerfen, was mich davor begleitet und bekleidet hatte. Lediglich meine Papiere und einige wenige Bücher, an die ich mich im Falle des Verlustes hätte schmerzlich erinnern müssen, behielt ich.

Der Traum eines jeden Reisenden ist es, nicht nur die Orte, sondern auch die Zeiten zu wechseln, die Jahreszeiten, die Tageszeiten, das Licht. Denn die Zeit ist der unsichtbare Ort, der uns unser ganzes Leben lang beherbergt, uns niemals gehen läßt. Wir fühlen unsere Gefangenschaft in ihr besonders intensiv auf Reisen, wenn wir die Plätze unseres Aufenthalts rasch wechseln, die Zeit aber unverändert bleibt.

Ich hatte als einziger hier den Bus verlassen. Ich kannte hier niemand.

Manchmal, wenn ich in eine fremde Stadt komme, habe ich das Gefühl, auf lauter bekannte Gesichter zu treffen. Es ist, als hätten sich Bekannte aus den verschiedensten Orten, in denen ich einmal war, hier versammelt, als wäre diese Stadt nun der Ort der unausweichlichen Wiederbegegnungen. Ich hasse das Wiedersehen. Es kommt mir vor wie ein Verstoß gegen die heiligen Gesetze der Zeit, von deren Befolgung unser Glück abhängt.

Die Erinnerungen bestimmen das Verhältnis zu einem Ort, die Entfernung zu ihm. Man kann Jahre in einer Stadt verbringen und dennoch fern von ihr sein, weil man sich dort an nichts erinnert.

Die Straße war naß. Ich fror. Ich hatte einen leeren Bauch. Gespräche, Wärme, Brot. Ich will alles, was man vom Leben erwarten kann.

Wenn man seine Träume niemandem mehr anvertrauen kann, wird der Ort, in dem man lebt, eng. Irgendwann kommt der Moment im Leben, in dem man entscheiden muß: Brot oder Traum?

Sollte ich mich doch hier niederlassen? Hier würde mich keiner nach meiner Herkunft fragen. Ich war in einem Ort geboren worden, in dem nur eine Tankstelle stand, die von meiner Mutter, einer alleinstehenden Frau, betrieben wurde. Mein Vater hatte sie noch vor meiner Geburt verlassen. Als Kind hörte ich immer, er sei auf Reisen.

An einem Brunnen wusch ich mir Gesicht und Hände. An dem Baum, der hinter dem Brunnen in die Höhe ragte, waren noch staubige Blätter. Hie und da hatte sich die Krone gelichtet. Es wurde hell. Der Himmel schien durch, wie eine blasse Schrift. Nur Vögel können diese Schrift lesen. Sie tragen sie jeden Morgen laut vor.

Ich kaufte Zeitungen und ging in ein Café.
»Haben Sie schon auf?« fragte ich die ältere Frau, die die Tische abwischte.
»Wir machen nie zu«, antwortete sie, ohne von ihrer Arbeit aufzuschauen. Ich bestellte Kaffee, Eier und ein Sandwich. Während ich auf mein Essen wartete, fiel mein Blick auf einen gegenüberliegenden Laden. Ein Laden voller Bücher. Alte Bücher, wie mir schien. In seinen Schaufenstern herrschte eine Art geordnete Unordnung, wie ich sie von Redaktionstischen her kannte. Im Innern des Ladens war

es noch dunkel. Trotzdem glaubte ich dort jemanden zu sehen.

Bin ich in diese Stadt gekommen, um mir an einem Brunnen das Gesicht zu waschen, um mir Zeitungen zu kaufen, um mich in ein Café zu setzen und mir diesen Laden anzusehen? Der Laden könnte eine Entdeckung werden, vielleicht sogar eine Passion, eine Bleibe. Wenn ich mich hier niederlasse, dann nur in diesem Buchladen.

Ich schlug sofort die Immobilienseiten der Zeitungen auf. Ich mußte mein Angebot an den Ladenbesitzer mit den aktuellen Preisen abstimmen. Ich brauchte einen Stadtplan. Der Besitz eines Stadtplanes ist der erste Schritt zur Seßhaftigkeit. Ohne Plan ist man in einer Stadt auf Dauer verloren.

Ob man hier als Fremder eine Immobilie erwerben kann?

»Wo kann ich hier einen Stadtplan bekommen?« fragte ich die Wirtin.
Sie schaute mich entsetzt an.
»Es gibt keine neuen Pläne von der Stadt. Und die alten zu besitzen steht unter Höchststrafe.«

Ich brauchte keinen Stadtplan. Ich würde dem Besitzer des Ladens, den ich im Dunkeln an seinen langsamen Bewegungen zu erkennen glaubte, ein Angebot machen, das er nicht würde abschlagen können, wenn er bei Verstand war. Die Menschen hier ernährten sich von dem, was ich in einem Monat ausgebe, ein ganzes Jahr.

Ich werde diesen Laden nicht nur kaufen, ich werde auch seine Bestände ordnen. Ein Besitz gewinnt nur durch Ordnung an Wert. Ich werde mich dabei nach dem Erscheinungsjahr der Bücher richten. Printed in West Germany 1961, oder gedruckt im Deutschen Reich 1941.

»Ihr Kaffee wird kalt!« Die alte Frau schaute mißtrauisch zu mir herüber.

Ich spürte, daß die Zeit gekommen war, um die Leere der Gegenwart gegen die Fülle der Vergangenheit einzutauschen. Dafür genügte es die Straßenseite zu wechseln.
»Ist der Laden gegenüber zu verkaufen?« fragte ich, während ich meinen Kaffee austrank. Die Frau zuckte mit den Achseln.
»Sind Sie Buchhändler? Ich dachte, Sie wären Journalist oder so etwas.« Ich zahlte mit einem Dollar, nahm meine Tasche und ging hinaus. Ich habe immer Dollars bei mir. Sie werden überall, abgesehen von Europa, das sich vom Rest der Welt abschottet, gerne akzeptiert. Ich klopfte an die Ladentür. Es rührte sich nichts. Ich kniff die Augen zusammen und schaute durch die Scheibe ins Dunkel. Der Raum gewann langsam an Konturen. Ein alter Mann tauchte aus dem Dunkel auf und bewegte sich auf die Tür zu.

»Wir haben geschlossen. Heute ist Sonntag. Wissen Sie das nicht?«
»Ich komme nicht wegen der Bücher. Ich habe Ihre Anzeige gelesen«, log ich.
»Welche Anzeige?«

»Sie wollen doch den Laden hier verkaufen, oder?«

Der Alte schüttelte den Kopf.

»Hat sich da mein Sohn wieder einen Scherz erlaubt? Oder sind Sie von der Partei? Wo haben Sie diese Anzeige gelesen?«

Ich machte eine undeutliche Handbewegung Richtung Innenstadt.

»Kommen Sie herein«, seufzte der Alte. Drinnen entpuppte sich der Raum als kleiner und dunkler, als es von draußen zu ahnen war. Die Regale waren vollgestopft. Die Bücher schienen jeden Moment aus den Regalen zu stürzen. Der Mann setzte sich auf einen Hocker.

»Sie können sich hier nicht setzen. Es gibt keinen Platz. Das ist kein Ort, wo man Gäste empfängt.«

»Ich bin kein Gast, ich bin ein Interessent«, entgegnete ich, durch die Gleichgültigkeit des Mannes ermutigt. Ich machte mein Angebot. »Ich weiß, daß Sie Ihr ganzes Leben lang auf diesen Augenblick gewartet haben.«

Der Mann sagte nichts. Ich konnte seinen Gesichtsausdruck nicht erkennen.

»Haben Sie die Briefe geschickt?« fragte er nach einer Weile. Welche Briefe? wäre mir beinahe entfahren. Doch ich konnte meine Überraschung gerade noch verbergen und spielte den Eingeweihten.

»Es ist lange her, daß ich Ihnen geschrieben habe. Haben Sie alle Briefe bekommen? Sie sehen, es hat keinen Sinn Widerstand zu leisten.«

»Der letzte kam erst vor einer Woche.«

»Kommen wir zur Sache.« Ich versuchte ihn abzulenken.

»Briefe werden manchmal verspätet zugestellt, das ist auf der ganzen Welt so. Manchmal werden sie auch vorher gelesen, vielleicht sogar von mehreren Leuten.«

»Hören Sie, ich will nicht mein Leben aufs Spiel setzen. Sie haben einen meiner Söhne. Sie geben mir nicht einmal seine Leiche. Ein anderer ist in den Bergen. Seit Jahren kriege ich keine Briefe mehr von meiner Frau, und wenn, dann welche, von denen ich genau weiß, daß sie sie nicht geschrieben hat. Und jetzt kommen Sie und behaupten Dinge, die ich nicht überprüfen kann. Glauben Sie überhaupt, daß Sie hier eine Überlebenschance haben mit diesem Laden? Sie kennen sich hier doch gar nicht aus. Das merkt man Ihnen sofort an. Sie sollten hier besser eine Fernsehstation kaufen, wie es die anderen Fremden tun.«

»Ich will die Zeiten in Ordnung bringen. Und Ihr Laden ist der einzige Ort, wo ich das noch tun kann«, erklärte ich mich.

»Nichts könnt ihr jungen Leute«, erwiderte der Alte unwirsch. »Was zählt heute schon die Jugend, wo der Mensch sich überall verewigen will. Wir standen noch auf unsicherem Boden. Man sperrte uns ein, aber wir fanden immer einen Weg zu entkommen.«

»Ich bitte Sie, ich bin doch nicht mehr jung. Ich habe vielleicht nicht Ihre Erfahrung, aber ich kann mich noch gut an die Zeit erinnern, von der Sie sprechen.«

»Wollen Sie zu diesen Zeiten zurück?«

»Nein, aber ich will wieder Ordnung in die Zeiten bringen, die Geschichte ordnen, ich will, daß das Mittelalter die Antike ablöst und die Neuzeit das Mittelalter, und ich will, daß die Uhren überall auf der Welt richtig gehen. Deshalb reise ich durch alle Länder und kümmere mich um die Zeit.«

»Ein Zeitmagier sind Sie also!« Der Mann winkte ab. »Das spielt doch alles keine Rolle, dieser Lexikonquatsch. Kümmern Sie sich doch lieber um die Zukunft.« Er wirkte jetzt etwas lebhafter.

»Was hilft es über die Zukunft nachzudenken, wenn wir unsere Toten nicht ordentlich begraben?« entgegnete ich.

»Werden Sie jetzt nicht philosophisch«, warnte er mich. »Sie werden in meinen Augen dadurch nicht glaubwürdiger. Na ja, Sie werden noch viel Zeit haben, über das alles nachzudenken. Hier sind die Schlüssel. Versuchen Sie nicht das Licht anzumachen. Ich habe keine Erlaubnis dafür. Außerdem gibt es sowieso selten Strom. Dort in der Ecke kann man auf der Gasflasche Kaffee kochen. Und ...« Er machte eine kleine Pause und fuhr dann fort ohne mich anzusehen: »Ernähren mußt du dich woanders. Und du darfst bei dieser Kälte nicht den Fehler machen, dir den Mantel auszuziehen. Viel Glück.«

Er drängte sich an mir vorbei und trat hinaus. Draußen schneite es heftig. Der Himmel war dunkel. Ich begann mich einzurichten, froh darüber, ein Quartier zum Überwintern gefunden zu haben.

Am dritten Tag meiner Ankunft begegnete ich Ilija. Ich weiß nicht, wie er in Wirklichkeit hieß, ob er überhaupt einen Namen hatte. Ich nannte ihn Ilija, weil er mich an einen Ilija aus einer anderen Stadt erinnerte.

Ich hatte im Café gefrühstückt und wollte gerade in den Laden zurückgehen. Da setzte er sich an meinen Tisch. Man wird unruhig, wenn sich jemand ohne zu fragen zu einem an den Tisch setzt. Ich schaute ihn mir genauer an. Sein Gesicht wirkte jünger als sein Körper. Arbeiterhände, gebeugter Rücken, ungepflegtes Gesicht. Schrammen an der linken Wange. Ein Kerl, dem man nur Handlangerdienste zutraut.

»Kann ich was für Sie tun?«
Er nötigte mich auch noch das Gespräch zu beginnen. Er selbst blieb stumm. Es war schon spät. Ich sah auf die Uhr.
»Können Sie mir vielleicht sagen, wie das Spiel ausgegangen ist, gestern abend?« fragte er plötzlich. Jetzt erst bemerkte ich das Radio, das im Hintergrund lief. Sie brachten gerade die Sportnachrichten.
»Tut mir leid, ich weiß genausowenig wie Sie.«
»Sie wissen eine ganze Menge«, fiel er mir ins Wort. »Was machen Sie, wenn Sie nicht träumen? Ich meine beruflich.«
»Ich bin Buchhändler. Lesen Sie?«
»Nein, ich höre nur Radio. Ich muß immer Radio hören, wenn ich arbeite.«
»Ja? Was arbeiten Sie denn?«
»Ich schreibe Bücher. Vielleicht haben Sie schon eins von meinen Büchern verkauft? Das letzte heißt *Heißer Regen*. Verkauft sich nicht schlecht.«
»Ich habe nur alte Bücher im Sortiment.«
»Es ist vor drei Jahren erschienen. Ich habe es auf der Insel geschrieben.«

»Auf der Insel?«

«Ja, ich war Gefangener dort. Sie müssen es unbedingt lesen und verkaufen natürlich auch. Es ist ein sehr positives Buch. Es handelt vom verborgenen Sinn eines Arbeitslagers. Besonders schön gelungen ist mir das Porträt des Inselkommandanten, als fürsorglicher Vater, dem es gelingt, solche Strolche wie mich auf die richtige Bahn zu bringen.«

»Schön oder gut?« fragte ich.

»Was?«

»Ist das Porträt schön gelungen oder gut gelungen?«

»Alles Positive ist für mich schön. Aber, gut? Ich weiß nicht, was gut ist. Ich bin froh, wenn ich mit wenigen Worten auskomme.«

»Aber Sie haben doch gerade einen anderen Begriff benutzt«, warf ich ein, »Sie haben gesagt, daß Sie froh sind.«

»Aber, Frohsein ist kein Begriff, es ist ein Zustand. Ein Dauerzustand vielmehr, in dem ich mich seit meinem Inselaufenthalt befinde. Als Begriff würde dieser Zustand seinen Glanz verlieren, mir gar nicht soviel bedeuten.«

»Das ist eine unfröhliche Wissenschaft, der Sie huldigen.« Ich war stolz auf mein Wortspiel, aber der andere schien mich nicht zu verstehen. Wir sprachen eine Weile nicht. Das Radio spielte jetzt Musik, die den Raum ganz einnahm. Neben der Theke telephonierte eine junge Frau. Sie stand auf ihren Fußspitzen, um an den Apparat heranzukommen, der viel zu hoch an der Wand hing. Draußen fielen ein paar Schneeflocken vom Himmel. Doch der Schnee blieb nicht liegen. Ein Kind balancierte eine münzengroße Flocke auf seiner Nase.

Wo befinde ich mich? Ich gehe nach langer Zeit wieder einer geregelten Tätigkeit nach. Ich muß die strengen Ladenöffnungszeiten einhalten, die hier üblich sind.

Wie wirkt diese Stadt auf mich? Wie ein Spiegelbild meiner Unentschiedenheit? Unentschieden für diese oder jene Straße, für ein Hochhaus oder eine Bauruine, für Fischer oder Jäger, für oder gegen mich. Die Stadt ist irgendwo zwischen den Lebensresten ihrer toten Bewohner und den Phantasien ihrer Planer steckengeblieben. Irgendwann muß sie sich, muß man sich auf irgendeine Seite schlagen. Die Stadt liegt am Meer. Das spricht dafür, daß ich sie verlassen werde. Wenn ich Schiffe sehe, packt mich das Fernweh. Ich kann diesem Gefühl nicht widerstehen. Ich werde mit einem Schiff hinausfahren.

Unter den Büchern fand ich einen Stadtplan aus dem letzten Jahrhundert. Er ist in einer Schrift geschrieben, die ich nicht lesen kann, aber ich habe die Stadt darauf wiedererkannt. Der Plan dient mir jetzt zur Orientierung. Die Stadt ist wie eine Krake, die sich auf das Meer gesetzt hat. Ich habe begonnen, alle Bücher über diese Stadt auf einem Regal zusammenzustellen, um dieser Stadt irgendwanneinmal einen Namen geben zu können. Ihre bisherigen Namen, es sollen über hundert sein, sind ungültig. Man ist hierzulande heikel mit Namen. Er kann über Leben oder Tod entscheiden. Es ist üblich, daß man sich nicht vorstellt. Ich frage Ilija deshalb auch nicht nach seinem Namen.

»Der Laden drüben hat meinem Vater gehört.«

Er hat Ansprüche. Er schickt seinen Sohn. Er will meine Ordnung zerstören. Ich wurde hellhörig.

»Wie hast du es bloß geschafft, diesem Geizhals sein Ein und Alles unter dem Arsch wegzuziehen? Ich wollte dich unbedingt kennenlernen, um diese unglaubliche Geschichte von dir höchstpersönlich zu hören.«

»Es gibt da keine lange Geschichte zu erzählen. Ich kam mit dem Bus an und blieb hier. Ich glaube, daß dein Vater mir vertraut.«

»Vertrauen! Der kann niemandem vertrauen …!«

»Er hat Respekt vor meinem Ordnungswillen. Ich will nämlich die Zeiten ordnen.«

»Welche Zeiten denn, du lebst doch in gar keiner. Dieser Laden ist doch nur ein Alibi.«

»Ich glaube, du redest von dir selbst, wenn du von mir sprichst. Ich schreibe keine Bücher und lebe nicht in den Bergen. Ich war auch noch nie auf der Insel. Ich respektiere eure Gesetze. Ich bin ein Fremder, der wichtig für euer Land ist.«

Der junge Mann lachte laut auf.

»Das sagen alle Fremden«, fügte er höhnisch hinzu. »Aber uns kann sowieso keiner mehr helfen. Außerdem respektiert hier keiner das Gesetz. Wir wissen nicht einmal, wo es geschrieben steht. Bald ist Frühling und du wirst gehen.«

»Poet! Sei still, behalte deinen Verdacht für dich. Sag mir, was du von mir willst, wir sind allein, du kannst dich mir anvertrauen.«

»Fremder, du kennst die Gesetze hier nicht. Die Wände haben Ohren hier und der harmlose Tisch an dem du deinen Kaffee trinkst, hat vielleicht Augen. Ich wäre gerne ein Teil deiner neuen Ordnung. Eine Weile in einer anderen Zeit sein. Vielleicht in der Zeit der großen Romanhelden. Einen Platz zwischen Honoré und Fjodor, das wäre etwas wert. Kannst du das, mich zu ihnen schicken? Dann bin ich dir hier auch nicht mehr im Weg.«

»Ich bin gerade bei den Astronauten und ihren Lebenserinnerungen. Aber ich will mein Bestes versuchen. Bring mir deine Bücher.«

Von diesem Tag an war ich eine Zeitlang nicht mehr allein im Laden. Er schrieb jeden Tag ein ganzes Heft voll, das ich neben die richtigen Bücher stellen sollte. Ich versuchte die Übersicht zu behalten. Für die Übersicht genügt nicht der Blick auf die Dinge. Auch die Dinge müssen einen sehen. Man kann ein Buch nicht so verrücken wie ein Möbelstück. Es darf dabei kein Wort verlorengehen. Ein Buch ist eine sensible, meistens überladene Wortwaage, die jederzeit aus dem Gleichgewicht geraten kann. Ich erfinde für die Bücher keine Zeiten. Ich stelle sie nur in die Zeit, aus der sie stammen. An ihren Stammplätzen beginnen sie eine neue Existenz. Diese Plätze kehren in die Geschichte zurück, aus der sie verbannt worden sind. An kurzen Wintertagen lasse ich viele vergangene Jahre wieder aufleben, an die sich hier keiner mehr erinnern will.

Im Jahr 1913 war die Stadt voll mit Flüchtlingen. Fast jede Familie hatte jemand im Krieg verloren. Alle Hammel in der Stadt wurden geschlachtet und an die Hungernden verteilt.

Ich bin kein Geschichtsschreiber. Ich sammele alte Bücher und handele mit ihnen. Das verbindet mich mit den vergangenen Zeiten. Ich hüte die Bücher sorgfältig. Bevor sie nicht an der richtigen Stelle stehen, darf der Blick der Zeitgenossen nicht auf sie fallen.

»Welchen Sinn hat deine Ordnung hier?« wurde ich gefragt. Hier wurden von heute auf morgen Distrikte abgeschafft, der Strom abgestellt, Menschen verschwanden spurlos. Eine Ordnung ist doch nur dann sinnvoll, wenn sie von dem, der sie errichtet hat, eingehalten wird und wieder abgeschafft werden kann. Hier wurde alles von einer unsichtbaren Hand gestaltet.

Keiner weiß, daß ich die Geheimpläne dieser Stadt besitze. Alle warten auf den Tag, wo ich mit meinem Wissen ende wie sie. Danach werde ich meinen Laden abgeben und fortgehen. Ein Historiker, der lange Zeit im Dienste der Stadt stand, diskutierte mit mir über Sinn und Zweck meines Vorhabens.

»Natürlich gibt es in unserer Stadt Handelsfreiheit. Sie können handeln, womit Sie wollen. Doch Sie werden wohl nicht annehmen, daß Sie handeln können, wie Sie wollen. Wir sind eine Stadt der Gesetze. Wir dulden keine gesetzeswidrige Handlung. Was für ein Ziel verfolgen Sie? Wollen Sie die Welt verbessern?«
»Mich interessiert Politik nicht. Ich bin nur an der Ästhetik interessiert«, kontere ich. «Ich will die Zeiten ordnen.«
»Das klingt durchaus gefährlich. Haben Sie einen Antrag

eingereicht, oder wildern Sie einfach so in unseren Zeiten herum, wie unsere Nachbarn in unseren Gewässern. Die haben kaum noch einen Fisch übriggelassen.«

»Sie sind doch pensioniert?« frage ich den Mann. »Was für eine Befugnis haben Sie, mich auszufragen?«

»Ich bin ein guter Bürger, ein verdienter Bürger dieser Stadt.« Er fährt mit aufgeregter Stimme fort: »Politik und Ästhetik können Sie doch nicht ohne weiteres voneinander trennen. Fragen der Moral sind schließlich auch Fragen des Körpers. Sie können ein schönes Gebäude errichten, aber wenn es leer bleibt, kann man es mit der Zeit auch nicht mehr schön nennen. Man wird sagen, daß es verwaist sei, wird sogar das Gefühl haben, es sei unheimlich. Ein Buchladen, in dem seit Tagen kein einziges Buch mehr verkauft worden ist, macht sich verdächtig. Ist das hier vielleicht ein konspirativer Treff? Ich meine, was tun Sie hier den ganzen Tag? Was tun Sie als Fremder in unserer Stadt?« Es war der erste warme Tag des Jahres. Auf dem hellblauen Hemd, das der Mann trug, hatten sich Schweißflecken gebildet.

Ich versuchte den alten Herrn zu beruhigen. Langsam begriff ich, daß er mir gefährlich werden könnte. Ich schweifte ab, lenkte sein Interesse auf ein paar alte Gesetzeskommentare. Schließlich landeten wir bei den Bänden mit frivolen Geschichten. Der Mann war von meinen Kenntnissen beeindruckt.

»Woher haben Sie denn unsere Sprache so gut gelernt«, wollte er wissen.

»Sie ist mir zugeflüstert worden. Ich habe in meinem Leben noch keine einzige Sprache gelernt. In einer Nacht war es die eine, in der anderen Nacht die andere Sprache, die mir zugeflüstert wurde. Eine Sprache zu sprechen ist wie atmen. Man muß regelmäßig atmen, um nicht in Sprachnot zu geraten. Das ist die ganze Kunst. Beim Schreiben aber muß man mit der Sprache ringen. Man hat in der Sprache ein Gegenüber, das sich einem in den Weg stellt.«

»So, Sie schreiben also auch?«

»Nein, nein, nicht wirklich, das ist nur so ein Gedanke.«

Beim Abschied schüttelte er mir kräftig die Hand.

»Sie sind wichtig für unsere Stadt«, sagte er, »ich bin froh, daß Sie hier sind.«

Ich wollte als Kind Schiffskapitän werden. Doch die Tankstelle meiner Mutter war weit weg vom Meer. Dort gab es nur Berge und einen Fluß, der im Sommer austrocknete. Man lachte mich aus, wenn ich sagte, was ich werden wollte. Diese Ablehnung ließ mich nur fester an diesen Wunsch glauben. Er wurde zu einer fixen Idee. Als junger Mann begann ich zu reisen. Endlich auch mit dem Schiff. Ich werde diese Stadt mit einem Schiff verlassen. Ich habe den Buchladen übernommen, weil ich mein Leben ordnen will; wenn ich nebenbei auch das Leben dieser Stadt ordnen werde, so ist das nur ein willkommener Nebeneffekt meiner eigentlichen Absicht. Solange der Laden nicht völlig geordnet ist, werde ich kein Buch aus der Hand geben. Es könnte sein, daß ich unwissend ein wichtiges Körperteil abgebe, ohne das ich nicht mehr am Leben sein könnte. Ich will nichts riskieren. Ich werde diesen Ort mit seinen Zeiten versöhnen, alles in Einklang bringen.

Kein Ort läßt sich mit seiner Geschichte versöhnen. Die Geschichte ist knöchern. Die Zeiten aber sind im Fluß. Sie sind elastisch und warten auf ihren Ordner.

Meine Geschichte, die mit meiner Ankunft in dieser Stadt ihren Lauf nahm und bisher von verschiedenen Begegnungen bezeugt und entwickelt worden ist, nämlich von der Begegnung mit dem Antiquar, seinem Sohn Ilija und dem pensionierten Stadtschreiber, hat selbstverständlich noch mehr Zeugen gehabt, die bisher unbenannt geblieben sind.

Da ist zuerst die Tigerkatze zu erwähnen, die jeden Abend zum Schlafen in den Laden kam und die ich Pau nannte. Dann gab es einige Büchernarren, die ich regelmäßig abwimmeln mußte. Unter ihnen war eine große Frau von außerordentlicher Schönheit. Sie hatte lange schwarze Haare, ein schmales Gesicht, aus dem die dunkelbraunen Augen hervorstachen. Sie trug meistens ein knielanges Lederkleid mit großen durchgehenden Silberknöpfen, schwarze Netzstrümpfe und auffallend teuere Schuhe. Ihre Lippen waren jedes Mal in unterschiedlichen Farben angemalt. Olivgrün stand ihr besonders gut.

Nach einer unverbindlichen Auskunft, die ich einmal bei einem Unterwäschehersteller eingeholt habe, scheinen Frauen im Laufe der Evolution immer größer zu werden, besonders an den Brüsten und an den Hüften zeige sich ein beträchtlicher Zuwachs des Umfangs. Auch die Beine würden immer länger, die Füße größer. Hierzulande sind die Frauen eher klein. In der Stadt färben sie sich die Haare blond. Sie brauchen viel Farbe, um das Schwarz zu übertünchen, dennoch bleibt etwas Dunkel an den Wurzeln der Haare. Von dort aus wächst ihnen ihre Herkunft nach. Eine große athletische Frau mit langen schwarzen Haaren ist hier eine Seltenheit. Diese geheimnisvolle Frau hatte nach langer Zeit den Geschlechtsvektor in meinem Koordinatensystem wieder aktiviert. Manche Nacht war ich mehr mit ihr als mit meinen Ordnungsvorstellungen beschäftigt. Der Schlaf wurde mehr und mehr zu ihrer Domäne. Beinahe hätte sie mich dazu verleitet, ein wichtiges Stück aus meiner Sammlung aus der Hand zu geben. Es hätte einen Einbruch in mein Geheimwissen über diese Stadt bedeutet. Ein Dokument, dessen Verlust ich nicht verkraftet hätte.

Im Gegensatz zu den anderen Kunden sprach sie kaum mit mir, deutete nur mit ihrem Zeigefinger auf die Objekte ihrer Begierde. Ich schüttelte jedes Mal mit dem Kopf und brachte ein kleinlautes »nicht verkäuflich, Madame« heraus.
Dabei spürte ich einen Messerstich in meinem Rücken, dessen Schmerz bis in meine Brust hineinreichte und, nachdem die Frau den Laden verlassen hatte, in eine wohltuende Wärme überging.

Sie hat mich überhaupt dazu gebracht, daß ich aufschreibe, was hier geschieht. Sie ist die eigentliche Urheberin dieses Textes. Ich habe bisher über keine meiner Reisen Berichte angefertigt. Ich beginne sogar meinen Blick in das Innere der Dinge zu richten, dorthin, wo das Auge versagt und nur mit der Notbeleuchtung des Kopfes irgendetwas erkannt werden kann. Ich weiß, daß ich nicht hier bin, um eine Liebesgeschichte zu schreiben. Aber wer könnte mich schon daran hindern. Die Polizei hier ist mit anderen Dingen beschäftigt. Es gibt Separatisten, Trinker, Arbeitslose. Ich bin nur ein Reisender. Genaugenommen ein Durchreisender. Einer, der seinen Körperteilen nachreist. Mal ist es der Kopf, der mich führt, mal die Hände. Ich will die Zeiten ordnen. Mehr will ich nicht.

Ich werde die Geheimpläne dieser Stadt enträtseln und unverwundbar werden. Wir alle befinden uns in einem Labyrinth, in dem es darum geht, den anderen in die Sackgasse zu schicken. Denn nur einer erreicht den Ausgang. Alle anderen drehen ihre Runden, bis sie an irgendeiner Stelle erschöpft zusammenbrechen. Ich aber besitze die Geheimpläne. Mit jedem Wort öffne ich eine andere Tür. Ich schreibe, um diesen Prozeß zu beschleunigen. Ich sammle alle Wörter, die mich aus dieser Stadt hinausführen werden. Nicht Ilija, der Schreiber, hat mich wieder zum Schreiben gebracht, sondern diese Frau. Sie ist in meinem Leben aufgetaucht und hat mir deutlich gemacht, daß jeder Ordnungswille, der nicht im eigenen Kopf beginnt, sinnlos ist. Während Ilija aus meinem Leben verschwunden ist, begleitet mich diese Frau im Labyrinth. Ob ich es will oder nicht, sie hat ihre Finger in meinem Spiel, auch wenn sie mir bislang nichts entwenden konnte.

Ich renne nicht gegen die Zeit an. Ich suche Ruheplätze, wo ich die Zeit erwarte. Meine Zeit, die kommen wird.

Um Schreiben zu können, genügt es nicht allein zu sein, ich muß vereinsamen. Alles bis auf Stift und Papier muß von mir abfallen. Ich bin solange gereist, bis das der Fall war.

Ich besitze keine Uhr. Eine Uhr kann falschgehen. Ich orientiere mich am Licht. In den letzten Tagen ist mein Zeitgespür unsicher geworden. Die Tage werden länger. Das Licht heller. Wie soll ich die Zeiten ordnen können, wenn ich nicht einmal meine eigene Tageszeit bestimmen kann? Ich weiß, daß ich einen Ort verlassen muß, wenn mich dort das Zeitgefühl im Stich läßt. Noch hilft mir die unbekannte Frau. Sie kommt immer täglich, mittags zwischen zwölf und dreizehn Uhr. Wenn die Sonne im Zenit steht. Dann ist der Laden hell, so daß man die Schrift auf den Buchrücken entziffern kann. Sie spricht immer noch nicht mit mir, bleibt aber etwas länger und schaut sich gründlich um. Beim Gehen nickt sie freundlich mit dem Kopf. Ob sie ahnt, daß sie meine beste Freundin geworden ist, meine Gebieterin? Ich beeile mich am Vormittag mit der Arbeit, weil ich an Nachmittagen nicht so gut arbeiten kann, da ich an sie denken muß. Ich habe das Gefühl, daß diese Frau meine Gedanken mitnimmt, wenn sie geht, und mit den Gedanken auch einen Teil meiner Ordnung.

Frauen, die es gelernt haben sich zurückzunehmen, üben

einen eigenartigen Reiz aus. Es ist, als forderten sie etwas Unsichtbares. Man folgt ihnen bis ans Ende der Welt.

Ich versuche zu vermeiden, von ihr zu träumen. Denn wenn man von einer Frau zu träumen beginnt, steigt sie früher oder später von ihrer Wolke ab und sitzt neben einem, im Bus, im Auto, auf einer Wiese, irgendwo auf einem Schiff nach Norden, in die kalten Gewässer, wärmt einem den Rücken, die Hände. Der eigene Atem verliert seine Gradlinigkeit, schlingert, schwingt sich zu ihr hinüber, fädelt sich in ihren Atem ein.

»Ein Liebesbeweis! Ich möchte einen Liebesbeweis.« Das waren die Worte meiner letzten Flamme, bevor sie mich verließ. Wenn ich nicht im Rückstand mit meiner Arbeit wäre und die Zeiten schon geordnet hätte, wüßte ich jetzt, wann das war. Es ist jedenfalls lange her.

Genau das, was geschehen ist, wollte ich vermeiden, nämlich daß mein Ordnungswille und mein Geschlechtstrieb sich in die Quere kommen. Vielleicht hat man diese Frau auf mich angesetzt, damit ich aus dem Rhythmus komme. So eine Frau, die einfach in den Laden kommt, mich keines Blickes würdigt, aber mir die besten Stücke entreißen will, hat doch Hintergedanken. Vielleicht ist sie eine Frau aus den besten Kreisen, mit Offizieren in der Familie, eine Frau, die zwei Kinder hat, um die sich drei Väter streiten. Sie hat die Kinder in ein Internat gesteckt und verbringt ihre Tage in Museen und Antiquariaten. Ihre Männer leiden an Zucker, Hochdruck und Magenschleimhautentzündung. Sie macht sich jeden Tag schön, ist am schönsten in der Mitte des Tages, wenn die Sonne im Zenit steht.

Ich wußte, daß der Grund für meinen Aufenthalt in dieser Stadt sich verändert hatte. Welchen Sinn macht schon Ordnung, wenn man nicht zuhause ist, fragte ich mich selbst, als Rechtfertigung dafür, daß ich kurz davor stand mein Projekt aufzugeben. Man muß sich zuerst ein Zuhause suchen, tönte es altklug in mir. Kein Loch wie dieses hier, vollgestopft mit Rattenfutter. Einen hellen Fleck auf der Erde, wo Verweilen Spaß macht. Wo man des Verweilens wegen lebt. Und wo sich die Zeiten im Traum ordnen lassen. Lange war ich schon nicht mehr so euphorisch gewesen. Der Gedanke allein bedeutete noch lange nicht, daß ich irgendwo angekommen war. Das wußte ich auch. Aber ich hatte die Hoffnung, diesen Ort verlassen zu können, der auf keinen Fall der ersehnte war.

Ich war dieses Mal meiner Zunge nachgereist. Sie war mir unterwegs eingefroren. Erst hier, an diesem Ort, taute sie wieder auf. Es hatte lange gedauert, bis ich wieder schreiben konnte. Ohne seine Zunge kann man nicht schreiben. Schon gar nicht mit einer fremden Zunge, die einem wie eine Prothese in den Mund gelegt wird. Die Finger können die Zunge nicht ersetzen, sie führen nur aus, was ihnen mitgeteilt wird. Manchmal, wenn sie zaubern, sind sie frei.

Ich bin beim Ordnen der Zeiten nicht bis zu jener Revolution vorgestoßen, die dieses Land zu dem gemacht hat, was es ist: eine verschlammte, gesetzlose Wildnis, ein am Gerippe seiner einstigen Schönheit hängender Erdklumpen.

Auf Reisen kann man ruhig lästern. Da reist der Wind mit. Und der Wind ist vergeßlich. Will man aber seßhaft werden, sollte man sich vorsehen. Die Erde saugt jede Bemerkung auf, lagert sie und baut sie in ihr Abwehrsystem ein. Irgendwann wird man abgehört und bei Verdacht verstoßen.

»Wir lassen es nicht zu, daß Sie unseren Ruf ruinieren. Sie hat man doch geschickt, oder? Für welche unserer Nachbarn arbeiten Sie?«
»Ich bin doch kein Gärtner. Ich bin Buchhändler. Ich war noch nie bei Ihren Nachbarn.«
»Hören Sie auf, Witze zu reißen. Wir wollen das nochmal überhört haben, weil Sie Ausländer sind. In jedem Fall sagen Sie nicht die Wahrheit. Sie sind mit dem Bus eingereist, da kommen Sie ja wohl von irgendwoher, oder ist Ihr Bus etwa geflogen?«
»Nein, aber ich habe die ganze Zeit geschlafen. Ich habe doch zu niemandem Kontakt. Meine Telephonverbindung ist seit Tagen unterbrochen. Ich warte nur noch auf mein Schiff, damit ich ausreisen kann.«
»Wozu brauchen Sie denn ein Telephon, wenn Sie zu niemandem Kontakt haben? Wir wissen, wie es um Sie bestellt ist. Sie sind im Verzug. Sie sind in den Armen der Krake. Dort stecken Sie fest. Die schwarze Krake wird Sie nicht mehr loslassen. Sie werden von ihr langsam verspeist und sind sogar überaus glücklich dabei. Na, tut sich was zwi-

schen deinen Beinen?« Der Mann setzt ein ekelhaftes Grinsen auf.

»Deinen kümmerlichen Stachel da brauchst du gar nicht mehr hinausfahren, es sei denn du willst ihn dir selbst hineinstechen, wie ein in die Enge gedrängter Skorpion. Du wirst morgen auf dem Schiff sein und vergessen haben, was in dieser Stadt gewesen ist. Hast du verstanden?«

Der Kommandant beugt sich zu mir und blickt mir mit starrem Blick in die Augen. Sein Atem riecht nach Menthol. Er hat eine weiße Uniform an.

Warum man auf dem Meer weiße Uniformen trägt? Das Schiff, das ich nehmen werde, wird mich weit weg bringen. So weit weg, daß die schwarze Krake mit ihren langen Armen mich nicht einmal mehr in meinen Träumen greifen kann.

Berichte von einer imaginären Reise

KONSTANZA

Die Stadt liegt am Schwarzen Meer, Mündungsgebiet der
Donau. Dreihunderttausend Einwohner. Industrie-
projekte unter Ceaucescu, gigantische Ruinen. Ein türki-
scher Bierbrauer hat die halbe Stadt aufgekauft. Ich quar-
tiere mich in einem kleinen Hotel im Stadtzentrum ein. Es
gibt kein Wasser. Rohrbruch letzte Nacht. Der Portier, ein
Mann mit einem runden Gesicht und riesigem Schnurr-
bart, verteilt Eimer mit Wasser.

ODESSA

In dieser Stadt starb Nazim Hikmets Frau Lena an Cholera. Es war das Jahr 1928. Lena war auf dem Weg zu ihrem Mann in die Türkei.
Ich fühle mich krank und bleibe sechs Wochen. Der Arzt verlangt pro Besuch fünf Mark. Meine Lunge ist angegriffen. Es wird Herbst. Ich genieße die Abkühlung. Morgens weht frischer Brotgeruch ins Zimmer. Im Erdgeschoß ist eine Bäckerei. In meiner Pension übernachten Matrosen aus der Türkei. Sie schauen jeden Tag nach mir. Ab und zu schicken sie mir ein Mädchen aufs Zimmer. In den Nächten wird es sehr laut. Zum Abschied gebe ich allen meine Adresse. Wir werden uns nicht wieder sehen, sagt einer der Seemänner wehmütig. Berlin liegt nicht am Meer.

BATUMI

In dieser Stadt wurde meine Urgroßmutter geboren. Tee-
plantagen soweit das Auge reicht. Es wird ein Investor ge-
sucht, um den Anbau zu modernisieren und den Export in
Schwung zu bringen. Feuchtes Klima.

BAKU

Hafen- und Industriestadt am kaspischen Meer.
Ich stehe vor dem Gebäude, in dem 1920 der Kongreß der
Länder des Ostens stattfand. Regen. Im Meer leben keine
Fische mehr. Wie oft war Nazim Hikmet in dieser Stadt?
Hier erschien sein erstes Buch: »Das Lied der Sonnen-
trinker«. Die Sonne zeigt sich kaum. Modriger Geruch aus
dem ölverpesteten Meer.

Zenne

Ich bin eine Zenne. Auf der Bühne spiele ich die weiblichen Rollen. Ich erinnere mich kaum noch an mein eigenes Geschlecht. Irgendwann einmal muß ich ein Mann gewesen sein. Sonst hätte man mich auch nicht als Zenne auf die Bühne gesetzt. Würde ich behaupten, daß ich ein Mann bin, wäre ich mein Geld nicht wert. Es ist ein weit verbreiteter Irrtum zu glauben, daß ich nur lustige Rollen spiele. Wer so etwas denkt, kennt die Abgründe des Lebens nicht. Am liebsten trete ich in den Stücken eines verrückten Engländers auf, der auf eine unverwechselbare Art Roheit mit Zartheit verbindet. Bei ihm habe ich das Gefühl, daß er die Sprache nicht vergeudet und seine Charaktere ganz unabhängig von ihrem Autor ein eigenes Leben führen.

Ich weiß nicht, warum dieser Engländer bei uns so berühmt geworden ist. Wir haben keine Engländer hier. Wir sind auch nicht mit ihnen verbündet, auch wenn ich zugeben muß, daß ich bei der Politik selten hinter die Kulissen sehen kann. Ich bin mir dennoch sicher, daß unsere Flotte irgendwann im Laufe der Geschichte englische Schiffe versenkt haben muß (es gibt kaum ein Volk, von dem wir keine Schiffe versenkt haben), daß wir die Engländer, die wir gefangennehmen, auf die gleiche Art und Weise behandeln, wie alle anderen Gefangenen. Sie werden am Pfahl gemartert.

Theater spielt in unserem Leben keine Rolle. Wir fassen das ganze Leben als Theater auf, in dem es darauf ankommt diejenige Rolle zu besetzen, die für einen vorgesehen ist. Es hat keinen Sinn, sich gegen eine solche Rolle aufzulehnen. Die Vorsehung ist wie eine unsichtbare Person unter uns. Sie ist nicht nur gnadenlos, sie ist auch listig. Hätte es da noch einen Sinn, wenn ich behaupten würde, ich wäre ein Mann?

Unter meinen Vorfahren gab es Männer, und was für welche. Kapitäne, die in See stachen, noch bevor es tüchtige Schiffe gab, Experten für das langsame Töten. Ich habe kein Wissen von ihnen. Geschichten langweilen mich, wenn sie nicht von erfundenen Personen handeln. Also erfinde ich mir Väter und lasse diese Väter von ihren Vätern erzählen. Alles Männer. Ich habe genug davon. Ich bin glücklich darüber, daß meine Männlichkeit ein verlorener Teil von mir ist. Ein verwelktes Blatt an meinem Stammbaum. Es kann nicht mehr in Blüte gestanden haben. Dennoch, ich verdanke meine Existenz als Zenne nicht meiner Bescheidenheit, sondern den Gesetzen meiner Väter, die es den Frauen verbieten, auf die Bühne zu gehen. Am liebsten würden sie die Frauen aus der Welt verbannen. Auf der Bühne kommt man ja auch ohne sie aus, bis auf solche wie mich. Und ich kann nicht einmal abschätzen, ob ich meiner Rolle gerecht werden kann. Ich weiß nicht viel über Frauen.

Ich habe kein Geschlecht. Mein Geschlecht wurde von den Fliegen aufgefressen, die nachts an meinem Fenster Koranverse summen. Es ist wie ein Wunder, sie schlüpfen durch jedes Netz. Ich lese keine Bücher. Also lese ich auch nicht den Koran. Sein Autor war kein Engländer. Überhaupt soll das Buch gar keinen Autor gehabt haben. Ich glaube nicht an so etwas wie an ein Buch ohne Autor. Während es selbstverständlich viele Autoren ohne Bücher gibt. Ich bin mir sicher, daß der Autor des Koran eine Zenne war. Sonst gäbe es nicht so viele Fliegen, die seine Verse summen. Der Koran soll ein heiliges Buch sein. Es darf nicht auf den Boden gelegt werden. Man darf es beim Schlafen nicht unter den Kopf legen, obwohl es dick genug wäre, um bequem darauf einzuschlafen. Ist das Buch heilig, weil die in ihm enthaltenen Wörter heilig sind, oder das Papier, das aus erlesenen Bäumen stammt?

In einem Stück des Engländers gibt es eine Szene, die mich an meine Kindheit erinnert. Ich muß schon als Kind eine Zenne gewesen sein. Ich stehe auf einem Balkon und bekomme ziemlich viel Sand in die Augen, weil ein starker Wind weht. Es ist halbdunkel. Ich höre von unten her eine Stimme, die ich kaum verstehe. Ich fürchte mich davor hinunterzugehen und nachzusehen. Ich fühle, wie die Kälte mich häutet.

Plötzlich berührt mich eine Hand und verwandelt mich in einen Mann, die Szene wird unterbrochen, die Zensoren führen mich in Handschellen ab, das Stück wird abgesetzt. Solche Alpträume habe ich nur, wenn ich länger nicht gespielt habe. Ich kann es mir gar nicht vorstellen, ohne Theater zu leben, zu leben, ohne auf der Bühne eine Frau zu sein. Ich sage das nur, weil ich weiß, daß ich kein Geschlecht habe.

Man kennt mich nur als Zenne. Was ich tun würde, wenn ich keine Rollen mehr hätte, wenn ich nur noch als Mann, der ich nicht mehr bin, unter den Menschen leben müßte, wenn ich, wie die anderen Männer, nur Männer lieben könnte, die ihr Geschlecht an Frauen verkauft haben, das weiß ich nicht.

Durst

Wohnt ein Mann in deinem Herzen?

Nein.

Darf ich da einziehen?

Als ich Isabella diese Fragen stellte, standen wir auf einer grünen Wiese. Sie hatte eine Autopanne. Ich sollte ihr Auto abschleppen. Im nächsten Ort gab es eine Werkstatt. Man teilte uns dort mit, daß der Vergaser ausgetauscht werden mußte. Es würde einen ganzen Tag dauern. Wir sollten uns eine Bleibe suchen. Die Touristensaison war vorüber. In dem kleinen Ort schien es mehr leere Häuser zu geben als bewohnte. In der Werkstatt hatte man uns ein Hotel empfohlen, das ein wenig außerhalb lag. Wir stiegen in mein Auto und fuhren dorthin. Das Hotel gefiel uns. Es war ganz leer. Wir suchten uns das schönste Zimmer aus. Es blickte auf einen Teich. Die Bäume hatten die meisten Blätter schon verloren. In dieser Nacht sollte ein Sturm aufziehen.

Ich hatte nicht vor, mit Isabella zu schlafen. Ich wollte nur dafür sorgen, daß ihr Auto ordnungsgemäß repariert würde, damit sie weiterfahren konnte. Ohnehin fuhren wir in entgegengesetzte Richtungen. Ich weiß nicht, warum gerade jene Menschen eine Anziehungskraft aufeinander haben, die in entgegengesetzte Richtungen unterwegs sind. Vielleicht glaubt man so schneller eine Runde um die Welt zu drehen.

Wir dürfen einander nicht im Stich lassen.

Ich bin froh, wenn du mich nicht stichst.

Ich bin doch kein Insekt.

Was denn sonst? Wer fährt heute schon einen Käfer, auf einer so langen Strecke?

Man kennt das Gefühl, das entsteht, wenn sich zwei Menschen nähern, ohne einander näher zu kommen. Sie beginnen zu träumen, phantasieren sich alte Begegnungen, hören dem anderen nicht mehr konzentriert zu. Die Blicke werden immer leichter, schweifen vom Gegenüber ab.

Zwischen uns geschah das Gegenteil. Je weniger wir einander zu sagen hatten, um so enger rückten wir zusammen. Unsere Finger gingen auf Suche. Wir tasteten uns ab, mit offenen Händen, mit fünf Zungen an jeder Hand. Menschen, die sich mit den Händen kennenlernen, werden unzertrennlich. Schon mischte sich ihr Atem in meinen und produzierte ein günstiges Klima für die Nacht.

In dieser Nacht schliefen wir nicht zusammen. Der Grund

dafür lag eher bei mir. Ich hatte Angst vor ihr. Sie war groß und ich war mir nicht sicher, ob sie ein Herz in ihrem großen Körper hatte und ob es, wenn es dieses Herz gab, dort noch Platz für mich gab.

Damit ich nicht mißverstanden werde: Mit Herz meine ich nicht diese Pumpe, die für den Blutkreislauf zuständig ist und meistens schlechter funktioniert als irgendein anderes Teil im Körper. Das Herz, das ich meine, ist kein Organ, eher so etwas ähnliches wie die Sprache. Etwas, was uns unser Leben lang bestimmt, ohne wirklich da zu sein.

Sie hatte mich aufgefordert, das Licht auszumachen. Für einige Augenblicke fühlte ich mich eingesperrt. War sie aus dem Zimmer gegangen? Hatte sie die Tür hinter sich abgeschlossen? Dieser Gedanke erregte mich.

Wenn ich heute, nach Jahren, an meine Begegnung mit Isabella denke, fallen mir immer noch ihre Hände ein.

Die Hand, die mich im Dunkeln berührte, fühlte sich fremd an. Sie fühlte sich weicher an, als die Hand, die ich einen Abend lang erforscht hatte. Sie trug Handschuhe. Ich roch und schmeckte das Leder, als sie ihre Finger in meinen Mund steckte. Ich habe die Handschuhe aufgehoben. Es sind elegante, schwarze Damenhandschuhe, passend für eine Hand mit langen, schmalen, schamlosen Fingern.

Eine Frau hat kein Glied, dafür aber zehn Finger, die kein männliches Glied ersetzen kann.

Wir blieben drei Nächte in diesem Hotel. Drei Nächte, die mein Leben entscheidend verändert haben.

Erstens: Ich habe seitdem keine Frau mehr gefragt, ob ein Mann in ihrem Herzen wohnt. Frauen sind eher bereit ihr Herz herauszureißen, als einen Mann darin wohnen zu lassen.

Zweitens: Ich habe nie wieder mit einer Frau geschlafen, nicht einmal eine andere begehrt als Isabella.

Drittens: Ich habe nie wieder ein Auto abgeschleppt.

All diese Veränderungen haben mein Leben erleichtert, ohne es lebenswerter zu machen.

Ich warte nicht darauf, Isabella wieder zu begegnen. Ich weiß nicht einmal, ob sie an mich denkt. In diesen drei Nächten war ich gut für sie. Was kann sich ein Mann mehr vom Leben wünschen, als ein paar Tage gut für eine Frau zu sein. Die meisten schaffen es nicht einmal für Stunden in ihrem ganzen Leben.

Als wir das Hotel verließen, war draußen alles weiß. Der erste Schnee. Pulverschnee erinnert mich immer an Kokain. Inzwischen hatte jedoch das Wetter gedreht und die Sonne schien, als hätte sie den Frühling anzukündigen, der doch in weiter Ferne lag.

Wir fuhren in die Werkstatt und holten Isabellas Auto ab.

Es war wieder in Ordnung. Zum Abschied küßte ich ihr die Hand und es schien mir, als läge ein Lächeln in ihren Mundwinkeln. Ein Lächeln, das ich nie vergessen werde. Wir verabschiedeten uns wortlos. Wir hatten drei Tage lang kein Wort miteinander gewechselt. Ich wußte, daß Isabella mir mit ihrem Schweigen ein Geschenk machte, dessen Wert ich nicht genug schätzen konnte. Mit dieser kleinen Geschichte möchte ich mich bei ihr bedanken. Ich habe darauf geachtet, nichts zu verraten, was wir einander anvertraut haben. Ich wollte nur meine Erinnerung an sie mitteilen und mein ewiges, endloses Begehren.

Als wir in unseren Autos saßen und sie in den Süden, ich nach Norden fuhr, kam es mir vor, als hätte ich mit Isabella eine Runde um die Welt gedreht.

Ich hatte Durst. Ich hatte drei Tage lang nichts getrunken, außer das, was Isabella mir aus ihrem Körper zu trinken gab. Nach einem Tag kam fast nichts mehr aus ihr, weil auch sie nichts zu sich nahm.

Unterwegs legte ich jede halbe Stunde eine Pause ein, um etwas zu trinken und zu pinkeln. Ich sammelte sogar die Tränen in meinen Augen um meinen Durst zu stillen. Ich schied die Tränen über jenen Teil meines Körpers aus, der am meisten weh tat. Das Trinken und das Wasserlassen verschafften mir ein angenehmes Gefühl zwischen prickelnder Unruhe und einem schmerzfreien Moment. Fast wie Kokain. Ich habe diese erleichternden Maßnahmen kultiviert und nehme auch heute noch jede halbe Stunde eine ordentliche Menge Flüssigkeit ein. Wasser erneuert das Leben. Durst ist ein Zeichen von Lebensfreude. Ich hoffe, daß mein Durst niemals zu stillen sein wird.

Tom und Robert

Bin ich Tom oder Robert? Irgendwann wird es eine Frau geben, die diese Frage für mich beantworten wird. Noch kann ich Tom von Robert unterscheiden, Tom und Robert im gleichen Körper sein. Dafür sorgen, daß sie sich nicht im Weg stehen, das ist anstrengend.

Robert ist im Sommer aktiver als Tom. Tom trägt einen für seinen Körper zu großen, knöchellangen Wintermantel. Er hält sich bedeckt. Der Mantel ist mit Sicherheit älter als Tom. Er hat ihn vom Flohmarkt. Robert kauft nur nagelneue Anziehsachen. Er hat Angst mit alten Sachen älter zu wirken. Er kommt bei Frauen gut an, ist lebenslustig. Ein Flaneur und Spieler. Tom ist ein Geizkragen. Er ist fast immer geil, außer wenn er seine Notdurft verrichtet. Aber mit seinem Lustorgan geht er sparsam um. Er organisiert sein Liebesleben wie eine Arbeit.

Robert weiß, daß sein spitzer, schnabelförmiger Mund Frauen lüstern macht. Er provoziert ihre Männlichkeit. Es gibt immer mehr Frauen, die ein steifes Geschlecht an ihrem Körper geil finden. Robert ist ein Fußsklave. Er hat eine geübte Zunge. Robert ist Warmblütler. Tom ein Holzfäller. Der Wald ist sein Doppelgänger. Abgeholzt von Männern, die keine Tiere auf ihrem Territorium dulden.

Tom hat drei Prinzipien, die er nicht verraten darf.

Erstens: Huren sexuell befriedigen.
Zweitens: Eine Woche lang jeden Tag mindestens fünf Mal
vögeln, ohne abzuspritzen.
Drittens: Drei Tage lang ohne Unterbrechung schlafen.

Das macht seinen Lebensrhythmus aus.

Robert bringt Unordnung in Häuser, die er besucht. Es
gibt immer zwei Lager. Die einen stellen Forderungen an
ihn. Er soll gehen, sich erklären oder beweisen. Die anderen wollen, daß er durch sein Verschwinden präsenter werden soll. Für Robert ist nichts unmöglich. Aus Zeiten, als
er an einer Kette lebte, weiß er, daß ein paar Schritte viel
wert sind. Er geht, als würde er springen. Er erkennt seine
Komplizinnen, seine Gegner und seine Herausforderer
schon auf den ersten Blick. Er ist ein Siegertyp auf der Seite der Verlierer. Er weiß, daß man durch Widerstand in jedem Spiel die Ordnung durcheinander bringen kann. Er
baut Widerstand auf, als Reiz für diejenigen, die diesen
Widerstand brechen wollen. Dieser Widerstand ist ein
Echo des Lustgefühls, das er in seinem Inneren empfindet.
Es gibt immer jemanden, der in dieses Echo eindringt und
sich dort wohl fühlt. Robert kennt sich in Häusern aus, in
die er Unordnung bringen kann.
Roberts Neigung zu Frauen ist epidemisch. Tom teilt seine Gefühle zwischen den Geschlechtern auf, läßt sich von
einem Geschlecht zum anderen treiben.
Tom trägt Kriegsbemalung auf seinem Hoden.

Robert will am Ende des Jahrtausends den großen Liebes-
roman schreiben. Ein Roman, in dem die Männer verschwinden und am Ende alle Figuren weibisch sind, irgendeine Kopie der Weiblichkeit. Tom rennt tagsüber durch die
Stadt, nimmt seine Termine in verschiedenen Etablissements wahr. Nachts schreibt er sich den Tag vom Leib. Er
versteckt seine Texte vor Robert.

Seit einer Weile besucht er die gleiche Frau, die sich jedoch
so kunstvoll verkleiden kann, daß er das Gefühl hat in einem Haus mit verschiedenen Frauen zu verkehren.
Nur eines ändert sich an seiner Gebieterin nicht, die Stimme. An dieser warmen, robusten, aus der Tiefe des Körpers aufsteigenden Stimme, die ihn Dinge tun läßt, von
denen er nicht einmal zu träumen wagt, erkennt er sie immer wieder. Wie verloren fühlte er sich zu Zeiten, als er sie
noch nicht kannte und sich nicht ihrer Stimme anvertrau-
en konnte.

Sie hatte einen großen Körper mit weiblichen Proportio-
nen, der durch die langen, kräftigen Beine noch größer
wirkte, als er war. Diesen majestätischen Körper füllte ihre
Stimme ganz aus, von der Zungenspitze bis zu den Fersen.
Von außen wirkte sie geschmeidig, samten, aber im Inneren war sie beinhart. Eine Frau ohne Härte wäre nichts für
ihn. Manchmal wollte er ihr ganzes Gewicht auf sich spüren. Auf seiner Zungenspitze. Ihren Körper an seinem
Lustpunkt balancieren wie ein Wort. Wenn er von ihr berührt wurde, dachte er manchmal, daß sie vier oder sechs
Hände hatte. Die Stellen, die sie berührte, brannten. Er ließ

sich die Augen von ihr verbinden. Und wenn sie ihm diesen Gefallen nicht tat, schloß er die Augen in der Hoffnung sie nie wieder aufmachen zu müssen. Sie war weder jung noch alt, wirkte zeitlos, wie alle Wesen, die er sich als starke Wesen vorstellte.

»So wird die Zeit mir zur Ewigkeit.« Alexandras junge, volle Stimme füllte den Raum, als ihm die Frau unter den Eingeladenen auffiel, weil er sie nicht kannte. Ein Mensch, dessen Gesicht man nicht kennt, kann einem durch seinen Körper bekannt vorkommen. Sie aber wirkte auf ihn wie eine absolut Fremde, die er nicht einmal an ihren Bewegungen hätte entschlüsseln können. Es war Roberts Geburtstagsfest. Er stand im Mittelpunkt. Er wurde dreißig. Dreißig ist ein Alter, an dem man seinen Geburtstag zum letzten Mal feiern sollte. Alles was dann kommt, ist überflüssige Wiederholung, Tag- oder Alptraum. Robert hätte sich ihr gerne als Tom vorgestellt. Aber das ging an diesem Tag nicht. Das erkannte er an ihren Augen. So stellte er sich ihr gar nicht vor. Er tat so, als wäre sie ihm gar nicht aufgefallen. Doch sie rückte, je später der Abend wurde, immer mehr in den Mittelpunkt. Sie tanzte als erste, als die anderen noch in belanglose Gespräche verwickelt waren. Nach wenigen Momenten sprach kaum noch jemand. Er wußte, daß sie ihm diesen Tanz schenkte, der jeden einzelnen, der sich im Raum befand, in Bann hielt. Er war stolz auf sie. Eigentlich auf sich selbst. Aber so etwas konnte sich Robert nicht eingestehen. Sie war die gute Freundin einer Bekannten von ihm, die in einem fernen Land Asiens lebte und deshalb nicht zur Geburtstagsfeier gekommen war. Sie hatte ihre Freundin gebeten, ihre Glückwünsche an den Freund zu überbringen. Schließlich wohnte die Freundin bei ihm um die Ecke. Wie kann eine angebetete Frau, die um die Ecke wohnt, fern von einem sein? Zwei Jahreszeiten mußte er auf sie warten. Seine Sehnsucht schien die Distanz, die sie zwischen sich und ihm aufgebaut hatte, zu steigern. Robert machte sich Vorwürfe wegen seiner Ungeduld. Tom dagegen wartete in Ruhe ab. Er hatte seine abgründigen Pläne bereits fertig. Er würde Robert und diese unbekannte Frau beim Warten beobachten, und sie ihm in einem günstigen Moment einfach wegnehmen. Toms Leben war schnellebig. Liebschaften wuchsen rasch aus Bekanntschaften hervor und verbluteten ebenso schnell, wie sie entstanden waren.

Robert hatte Angst vor der unbekannten Frau. Bevor er auf sie gestoßen war, hatte er nicht gewußt, daß Angst geil macht.

Eines Nachts, es war eine stürmische Novembernacht, Robert sah sich ein Fußballspiel an, klingelte das Telephon. Robert stellte den Fernseher still und nahm den Hörer ab. Er erkannte sie sofort an ihrer Stimme. Am nächsten Tag trafen sie sich in einem Straßencafé. Es waren nur noch wenige Stühle draußen. Sie setzten sich und behielten die Mäntel an. Es schien eine verschleierte Herbstsonne, die bereits für die kommenden harten Wintertage Licht ansparte. Die Kälte konnte ihnen nichts anhaben.

Sie war stur. Das gefiel Robert. Tom verlor das Interesse an ihr. Robert war beruhigt. Sie war mit sechzehn zu Hause ausgezogen, eigentlich abgehauen, um über die Mauer zu springen. Sie war froh darüber, daß es diese Mauer damals gab. Sie hatte eine solche Mauer zwischen sich und ihrer Familie gebraucht. Seitdem lebte sie allein. Wenn sie unterwegs war, besuchte sie nicht Menschen, sondern Städte. New York, Madrid, Paris, Istanbul, Kairo.

Er besuchte sie regelmäßig in ihrer Charlottenburger Wohnung. Das Gebäude, eher unscheinbar, stand in einer lückenlosen Reihe gepflegter Altbauten aus der Jahrhundertwende. Der Eingang war schmal, versprach bestenfalls mittelständischen Standard. Um so mehr beeindruckte Robert der Aufzug. Ein gepflegtes Modell aus dem Jahr 1905 mit Spiegel und Holzbank. Jeder dieser alten Aufzüge hat einen eigenen Charakter. An den Holztüren waren Verzierungen, Bacchus hielt eine Weinschale hoch, doch seinem Pendant war der Kopf abgefallen. Robert fuhr in den vierten Stock.

Bei seinem ersten Besuch bot sie ihm Kaffee an. Sie hatte keine Milch. Der Kaffee war stark und schmeckte süßlich, obwohl Robert ihn ohne Zucker trank. Robert kam der Kaffeemörder in Erinnerung, von dem ihm Tom einmal erzählt hatte. Dieser trank vor der Tat, die er mit einem kleinen aber scharfen Klappmesser ausführte, immer Kaffee mit seinen Opfern. Sie ahnten nichts von dem, was in ihm vorging, wähnten sich in Geborgenheit. Ihre Muskeln entspannten sich. Sie hatten sich in das Gespräch mit dem sympathischen jungen Mann vertieft. Dann ging alles ganz schnell. Robert dachte nicht daran mit ihr zu schlafen. Er lebte nicht nach seinem Gefühl. Er lebte nach den Konstruktionen in seinem Kopf. Frauen waren für ihn wie Schlüssel zu einem Haus, das er sich im Kopf erbaut hatte.

Er sammelte Gedanken für eine einigermaßen vernünftige Konversation. War Konversation nicht das, was die Frauen bei ihm suchten? Er war es nicht anders gewohnt. Dann passierte etwas Unerwartetes. Sie beugte sich vor und zog ihre Schuhe aus. Robert konnte sich nie entscheiden, ob Frauen mit oder ohne Schuhe erotischer sind. Tom hätte das wieder gleich gewußt. Hatte er überhaupt bemerkt, daß sie Schuhe anhatte? Eigentlich waren sie nicht zu übersehen. Plateauschuhe, mittelgroß, nicht die klobigsten, schwarz, schlicht. Sie war elegant. Tom hätte jetzt darauf gewartet, daß die Hüllen fallen. Robert stand auf und verabschiedete sich.

Schon in der Nacht träumte er von ihren Schuhen. Er hatte plötzlich das Gefühl, er könne sich ihre intimsten Stellen anhand dieser Schuhe vorstellen. Schuhe sind ein Abbild des weiblichen Geschlechtsorgans. Doch Schuhe trägt Frau paarweise. Und der Mann hat nur ein Geschlechtsorgan.
Unstimmigkeiten.

Robert vertraute ihr. Ihre grausamen Neigungen paßten zu seiner Lüsternheit. Sie bestimmte das Tempo, in dem sie einander begegneten. Einen Winter lang. Für Robert wurde es zum schönsten Winter seines Lebens. Er hatte Tom bezwungen. Ihn in die Wüste geschickt.

Sie verschwand immer wieder für einige Tage. Robert kam diese Zeit unendlich lange vor. Er stand unter Strom. Er fühlte die ganze Kraft seines Körpers in einem kleinen Finger, aber er konnte diese zusammengepreßte Kraft nicht abschütteln. Einen Schlüssel zu ihrer Wohnung hatte er nicht. Willst du einen Körper gut kennenlernen, mußt du ihm Schmerzen zufügen. Wie gerne wäre er von ihr gequält worden, nächtelang. Stattdessen erzählte sie ihm Geschichten. Sie hatte ein Gedächtnis wie ein Ozean. Robert fühlte sich sicher, obwohl er wußte, daß sein Boot klein und hochseeuntauglich war.

Manchmal fuhr er mit dem Aufzug bis vor ihre Tür und kehrte um. Sie hatten immer noch nicht miteinander geschlafen. Robert wußte, daß er noch lange nicht bereit dafür war, eine derartige Qual zu ertragen. Sie hatte Geduld mit ihm. Immer wenn sie nach einer langen Abwesenheit wieder auftauchte, war es ein Ereignis, ähnlich wie der Tanz, den sie auf seinem Geburtstag aufgeführt hatte.

Robert merkte, wie seine Sprache sich veränderte. Auch er begann Geschichten zu erzählen. Alltägliche Dinge verloren ihre Bedeutung. Parabeln bestimmten Ort und Zeit. Bestimmte Worte bekamen neue Bedeutungen: Spuren, Schmerz, Hoden, Peitsche, Prinzipien, Recht, Sekt.

Tom hatte einmal Folgendes von sich gegeben: »Was ich an meiner Zeit nicht mag, ist der inflationäre Umgang mit dem Begriff Demokratie. Ich bin ein elitärer Mensch. Ich glaube nicht an die Gleichheit der Menschen. Der Einzelne hat ohne seinen Meister keine Stimme.«

Die Wohnung hatte ein besonders eingerichtetes Zimmer, mit Steinboden, abgedunkelt mit Vorhängen aus schwarzem Samt, die Wände voller Gegenstände, die den Menschen an seine Verletzbarkeit erinnerten.

Unterwerfung ist ein religiöses Gefühl. Jeder sucht seinen Gott. Robert hatte ihn gefunden. Gibt es Gnade? Ist nicht die Gnadenlosigkeit die eigentliche Erkenntnis beim Erdulden von Schmerzen? Robert konnte nicht an Gott glauben, glaubte aber fest an den Schmerz, den ein göttliches Wesen ihm zugefügt hatte, als es ihn erschuf. Er war ergeben, still, fügsam, willig. Tom, der Aufsässige, dieser Höllenhund, hatte ihn ein Leben lang davon abgehalten, nach seiner Bestimmung zu leben. Robert war sich sicher, daß er seinen Glauben nicht mehr verlieren würde.

Robert lernte die gute Seite seiner Gebieterin kennen, die siebenzüngige Peitsche.
Das verdunkelte Zimmer wurde zum Ort ihrer regelmäßigen Treffen. Robert durfte sie nicht öfters als ein Mal in der Woche besuchen. Am letzten Tag vor dem nächsten Besuch brannte sein Körper vor Verlangen. Die Spuren, die sie ihm bei ihrer letzten Begegnung zugefügt hatte, waren schon fast verschwunden, wenn sie sich wiedersahen. So schufen sie sich ihren eigenen Rhythmus. Ein festes Ritual. Sie schrieb ihre Gedanken auf seinen Körper. Sie vertraute ihm Dinge an, für die sie sonst keinen Platz gehabt hätte. Intime Gedanken, die allein er lesen konnte. Sie wurden zu Komplizen. Robert bemitleidete die anderen für ihren Analphabetismus.
Sie nannte ihn einen Erottomanen. Vielleicht weil er die rote Ottomane liebte, die einzige Sitz- und Liege-

gelegenheit in diesem verdunkelten Zimmer, oder war es ein sanfter Hinweis auf seine Herkunft?

Im Dunkeln werden ihm die Augen verbunden. Längst hat er gelernt, im Dunkeln zu sehen. Er hat sich ein ganzes Leben lang auf seine Augen verlassen. Sie werden seinen Tod überleben. Er sendet mit ihnen nicht nur Blicke aus, er nimmt auch auf, formt, genießt Schönheit und überwindet das Vergessen. Wer das Vergessen überwindet, wird unsterblich. Er geht auf die Knie. Er spürt ihre Hand in seinem Haar. Er durfte seine langen Haare behalten, aber nur am Kopf. Am Körper wurde er rasiert. Nur glatte Körper können tiefe Gedanken behalten.
Er spürt ihren Finger auf seinem Mund. Ihren Atem an seinem rechten Ohr, dann an seinem linken. Im Nacken. Er ist umzingelt. Er bleibt ruhig. Er ist hellwach, obwohl er das Gefühl hat, jeden Moment in einen tiefen Schlaf zu fallen. Im Schlaf wäre er ihr nicht mehr ausgeliefert. Ist er nackt, hat er sich ausziehen müssen? Er fühlt einen warmen Strahl an seinem Rücken. Es ist Winter. Draußen schneit es. Er wird nichts mehr anziehen. Er wird seine Haut mit ihren Gedanken unter die Leute tragen und gesteinigt werden wie ein alttestamentarischer Prophet, den man für einen Hochstapler hält.

Ihre erste Erektion war für Robert sehr schmerzhaft. Sein Loch war noch nicht weit genug. Er war ein Jungmann. Als sie sich dranmachte, ihre erigierte Lust zu befriedigen, schrie er, flehte sie an. Es half nichts. Er bekam die Verfremdung ihres Geschlechts zu spüren. Sie stopfte ihm den Mund mit einem eisernen Kolben. Er konnte nicht einmal die Zähne zusammenbeißen. Für was rächte sie sich? Ist Rache nicht der größte Liebesbeweis, zu dem der Mensch fähig ist? Er hätte sie sich sanfter gewünscht. Doch sie begehrte ihn schon zu sehr, um zurückhaltend zu sein. Sie entzündete ein Feuer in seinem Hintern, das sich in seinem ganzen Körper ausbreitete. Sie beschleunigte ihren Rhythmus, beseitigte jeden Widerstand. Roberts Schmerzen versetzten ihn in einen Schwebezustand zwischen Schlaf und Tod. Er glaubte das Bewußtsein zu verlieren. Sie hatte die Festung des Erottomanen erobert.

Sonderbar, wie verletzlich das männliche Geschlecht ist. Seine angeblich stärkste Stelle ist seine schwächste. Die Haut, dort am dünnsten, wo der Körper am härtesten zu sein scheint.

Robert besuchte sie immer sonntags. Am Sonntag sind die Familienväter bei ihren Familien. Sie sparen Langeweile an, an der sie eine ganze Woche lang zehren. Unter der Woche sind sie wie Herdentiere, die ihre Herden verloren haben. Man merkt ihre verletzliche Befindlichkeit an der Art, wie sie Auto fahren, wie sie Kunden beraten, Schüler erziehen, Liebe machen. Die Sonntage würden krimineller werden, als sie schon sind, gäbe es nicht Frauen wie sie, die die Sonntagslangeweile zu behandeln wissen.

Robert hatte keine Familie. Seine Welt war voller Herrscher, die ihre Herrschaftsgebiete verloren hatten. Lauter enttäuschte Tamerlans, die sich in winzige Appartements zurückgezogen hatten. Jeder für sich allein. Er konnte sich an Sonntagen fallen lassen. Sonntage waren seine freien Tage. Er ging bei ihr in die Schule. Er lernte, den eigenen Körper zurückzuhalten, keinen Tropfen zu verschwenden. Er lernte, in Lust zu schwimmen. Am Anfang war es nicht leicht gewesen, das Gleichgewicht zu finden, das in jedem Körper wie eine Geheimzahl versteckt ist. Er war erregt, wenn er hundemüde war, fühlte sich bärenstark, wenn sich sein Geschlecht nicht regte. Er konnte sich nicht einmal vorstellen, sie zu berühren. Er hatte sie nicht vor Augen, hörte nur ihre Stimme.

Ihre Stimme war eine Vagabundin. Sie war nicht zuhause in dieser Stadt, in der sie geboren und aufgewachsen war, und wo sie sich niedergelassen hatte. Sie konnte nirgendwo zuhause sein, weil ihre Stimme ein zu weites Echo warf, das sie über jede Grenze hinaus in die Ferne trug.

Robert fühlte sich wohl bei ihr. Er las »Rot und Schwarz«, ohne sich Juliens Nöte zu eigen zu machen, nachdem sie in ihren Gesprächen ein paar Mal Bezug auf dieses fesselnde Buch genommen hatte. Sie hatten keine intellektuelle Beziehung. Der Geist ist nur ein Randbezirk des Körpers. Wenn man einmal im Körper Platz genommen hat, verweilt man nicht mehr gerne am Rand. Man muß zuerst fühlen, bevor man sich wohlfühlt. Robert fühlte. Er würde dieses Gefühl zu fühlen nicht mehr verlernen, selbst wenn Tom wieder auftauchen sollte, um seine Leidenschaft zu zerstreuen. Man darf beim Fühlen irregehen, aber nicht Irre werden. Irregehen ist kein Zustand wie Irrewerden, sondern ein Prozeß, eine Richtung, die man einschlagen muß, um nach Hause zu kommen.

Roberts Tagesablauf unter der Woche:

Ernährung: Zigaretten, Kaffee, stilles Mineralwasser.
Robert hat 20 Pfund abgenommen. Er schläft drei bis vier Stunden in der Nacht, läßt sich um sieben von BBC Weltnachrichten wecken, danach etwas Gymnastik. (Keine Selbstbefriedigung.)
Die Frühstückszigarette, eine Kanne Kaffee. Danach Liegen im lauwarmen Badewasser und Lesen, 60-70 Seiten.
Mittags Besuch eines Kaffees am Winterfeldtplatz. Spaziergang durch Antiquariate. Small talk mit der Bedienung im Café, am liebsten mit der Inderin. An manchen Tagen der einzige Mensch, mit dem Robert spricht. Danach Siesta. Wichtig dabei ist, daß man sich entkleidet hinlegt, wenn man nicht verkatert aufstehen will. Man muß sich ganz dem Schlaf hingeben, selbst wenn es nur für zehn Minuten ist. Gegen abend vergeblicher Versuch etwas zu schreiben. Das leere Papier zieht fürchterliche Grimassen. Nachtspaziergang, kein Geschlechtsverkehr. Arbeit an einem langen inneren Monolog. Das Gedächtnis ist ein fremdes Wesen, das man lange mit sich trägt, bis es sich einem anvertraut. Man muß sich seine Sprache aneignen, indem man seine Gesichtszüge und Bewegungen studiert, ihm seine Geheimnisse entlockt.

Robert vermißt sie nicht mehr. Am Anfang hatte sie noch ein paar Karten aus der Wüste geschickt. Da waren Kamele drauf. Dann kam nichts mehr. Stille, die ihre noch gegenwärtige Stimme nicht verbergen kann. Es gab keine Abschiedsszene. Abschiede werden durch solche Szenen nicht leichter. »Everytime we say goodbye, we die a little.« Doch Triebpfeile stecken noch tief in Roberts Innerem. Sie hat nicht alles mitnehmen können.

»Wenn ich verlassen werde, läßt der Schmerz schnell nach. Hat die Beziehung lange genug gedauert, dann bin ich imprägniert und noch als Verlassener, der die Geliebte verloren hat, im Labyrinth der Liebe gefangen.«

Das waren die ersten Sätze, die Robert nach langer Zeit wieder schrieb.

Fridaynightfever

Die Sache nahm ihren Lauf an einem Freitagabend. Ich war
geil wie an jedem Freitagabend. Man könnte diese regelmäßigen Anfälle von Geilheit darauf zurückführen, daß die
Woche zu Ende ist. Aber eine solche Begründung gilt nur
für Leute, die eine Arbeitswoche hinter sich haben. Bei mir
kann eher von einem Arbeitswochenende die Rede sein.
Während der Woche überlege ich mir Dinge, die ich am
Wochenende ausführe.

Freitag, da war doch noch etwas. Richtig, Freitag ist ein
religiöser Tag, wenn nicht für mich, so doch für meine ganze Sippschaft. Es könnte doch durchaus so sein, daß die
Sexualität ein Relikt der Religion ist, das letzte Ritual, das
uns übriggeblieben ist. Vor allem wenn man einer Religion
angehört, dessen Gründer ein potenter Mann und passio-
nierter Kinderficker war. Eine seine vielen Frauen war acht
Jahre alt, als er sie entjungferte. Er soll seine Frauen immer
am Freitag entjungfert haben. Seitdem gilt in seiner Gemeinde jeder andere Tag der Entjungferung als Unglücks-
bringer. Kindern, die nicht an einem Freitag gezeugt worden sind, blüht ein leidvolles Leben. So kann es eigentlich
nur am Freitag zu hemmungslosen One-night stands kommen. Die Diskotheken, die von Gemeindemitgliedern besucht werden, haben Freitagabend ordentlichen Besucher-

verkehr. Es herrscht eine lockere Stimmung. Ich habe mit dieser Gemeinde kaum noch etwas zu tun. Ihre Rituale jedoch beobachte ich mit Neugier, bisweilen mit Faszination. Vielleicht erklärt diese Faszination meine Geilheit am Freitagabend. Trotz meiner bewußten Entfremdung von der Gemeinde bin ich doch unbewußt ein Teil von ihr geblieben. Abgesehen davon, daß meine Umgebung mir meine Distanz zur Gemeinde sowieso nicht abnimmt. Wer da hineingeboren wird, bleibt in den Augen der anderen auch ewig dort.

Das Unbewußte ist wie ein zweiter Körper in uns. Viel mächtiger als unser eigentlicher Körper. Es ist ungreifbar, ohne Entschlüsselung; Heilung seiner Krankheiten kommt äußerst selten vor. Ich lehne mich gegen meinen verborgenen Körper nicht auf. Ich verheimliche ihn auch nicht. Er ist von Natur aus versteckt. Der einzige Ort, wo ich meine Herkunft preisgebe, sind Bordelle. Es kommt kaum vor, daß man in einem deutschen Bordell nicht nach seiner Herkunft gefragt wird. Zumindest nicht, wenn man dort mit schwarzem Haar und dunkler Hautfarbe auftaucht, wie ich.

An diesem Freitagabend zog ich mich fein an. Ich trug allerdings keine Unterhose. Es war Hochsommer. Und schon im Mai räume ich meine Unterhosen in den Schrank, bis zum September. Es beeindruckt die Frauen, wenn ich meine Hose öffne und aus dem Schlitz mein Geschlecht hervorquillt; wenn sie selbst Hand anlegen, um mich zu bedienen, erschrecken sie sogar ein wenig, lachen verlegen oder werden feucht, was weiß ich. Ich jedenfalls finde das geil. Auf der Straße mit immer etwas angespannter Hose, die Reibung, das ist für mich ein Kick, vielleicht wie das Motorradfahren für andere. Außerdem spüre ich den Körper in mir deutlicher als sonst, weil ich ihn unter Kontrolle halten muß, damit die Sache nicht zu auffällig wird. Das verschafft mir zusätzliche Erregung.

Die Großstadt ist ein Ballon der Illusionen. Ich wohne an stillgelegten Gleisen. Außer am Freitag verlasse ich meine Wohnung selten. Die Stadt liegt zu dieser Jahreszeit unter betörendem Lindengeruch, dem man nicht entfliehen kann. Wo bleibt die Liebe? Die Nächstenliebe, die Fernstenliebe, die Fersenliebe, die Liebe aus dem Fernsehen.
Es ist einfach zu sagen, warum ich in dieser Stadt lebe. Sie ist eine der wenigen Orte auf der Welt, wo man sich in Dirnen verlieben kann. Warum ich meine Freundinnen aus Bordellen rekrutiere und nicht aus Cafés oder Tanzschuppen? Ich will ehrlich sein. Ich bin nirgendwo so sehr ich selbst wie in einem Bordell. Es kann keinen Zweifel am Grund meines Aufenthaltes an einem solchen Ort geben. Es gibt dort keinen Raum für Verlogenheit, wie an anderen Orten des Lebens. Übrigens geht es manchen Frauen, die dort arbeiten, genauso wie mir. Der Job erfüllt sie. Sie sind meine potentiellen Geliebten.

Ich habe zwei Namen. Tom und Robert. Kaum jemand weiß, daß sich hinter diesen Namen ein und dieselbe Person verbirgt.

Am Freitag geht es nicht um den kleinen Sex, den man aus dem Waschsalon, dem Kino oder dem Café mit nach Hause nimmt und mit dem man ein Leben lang seinen Körper betrügt. Es geht auch nicht um den romantischen Sex. Es geht gar nicht um Sex. Es geht lediglich um das Szenario. Nicht jedem ist es vergönnt einmal in seinem Leben ein Szenario zu schreiben, das alle Spieler und Spielerinnen in Beschlag nimmt. Nur noch wenige Leute erleben, was sie erdichten. Man muß alles genau durchspielen im Kopf, sich bei sich selbst aufladen, bis die Entladung im Spiel so lange wie möglich hinausgezögert werden kann. Ein wahrer Höhepunkt. Wer zu einem ordentlichen Orgasmus kommen will, muß sich Bahnen geben, auf denen er auf- und ablaufen kann.

Der Freitag ist der Tag des Höhepunkts, ein heiliger Tag. Man gibt sich Ausschweifungen hin. Ausschweifungen sind nur möglich, wenn Sexualität nicht mehr als ein Fest der Zweisamkeit begriffen wird. In der Paarkonstellation definiert sich der Eine durch die Kontrolle über den Anderen. Bei der Gruppe dagegen konzentriert sich alles auf ein Zentrum, das variieren kann. Spiele um die ständig wechselnde Balance in der Gruppe sind Quelle ungeahnter Lust. Wer den Spaß in der Gruppe entdeckt, verliert jede Hemmung, fühlt sich geborgen und unkontrolliert, verteilt seine Lust und Aggressionen auf mehr als nur eine Person. Er gibt weniger und empfängt mehr. Wichtig ist, daß man vorher gründlich duscht, als ginge es darum, eine andere Person zu werden. Nachher wird man dasselbe tun. Aber dann ist es auch wirklich nötig. Der eigene Schweiß und die Spuren fremder Säfte entwickeln einen eigenartigen Geruch auf der Haut, der weggerieben werden muß. Man kann in einem fremden Körper leben, nicht aber in einem fremden Geruch.

Mitra

»Nur in einem gequälten Körper ist ein gesunder Mann«.
Mitra hatte diesen Satz in einem Buch gelesen, an dessen
Titel sie sich nicht mehr erinnerte. Sie wußte nicht einmal
mehr, in welcher Sprache das Buch war. Früher las Mitra
viele Bücher. Sie konnte fünf Sprachen. Sie bewohnte eine
Bibliothek, in der, bevor sie dort eingezogen war, ihr Großvater gelebt hatte. Dieser Mann hatte vom Schreiben gelebt. Aber er schrieb keine Bücher. Er schrieb Gutachten.
Er begutachtete Menschen. Sie kamen zu ihm, stellten sich
vor, blieben eine Weile. Der alte Mann sprach mit ihnen
oder schwieg. Nach einer bestimmten Zeit bat er den Besuch aus dem Raum zu gehen und draußen zu warten.
Dann griff er zur Feder. Mitras Großvater war berühmt.
Und viele Leute wünschten sich ein Gutachten von ihm.
Ein Gutachten von Padar ist wie ein Paß, sagten sie, du
mußt ihn immer bei dir tragen. Besonders, wenn man hei-
raten wollte, wurde das Gutachten wichtig. Mitras Großvater hatte alle Hände voll zu tun, denn man heiratete nicht
nur einmal im Leben in Mitras Land. Das Gutachten war
Führungszeugnis und Liebesbrief zugleich.

Mitra hätte von ihrem Großvater Schreiben lernen können.
Im allgemeinen kann man Schreiben nicht lernen. Aber
wenn das Talent in der Familie liegt, dann ist das etwas an-

deres. »Willst du schreiben oder lesen können?« hatte Großvater sie bei einem ihrer regelmäßigen Besuche gefragt. »Beides«, antwortete Mitra. Sie war damals ein junges Mädchen mit langen dunklen Haaren und Augen, von denen die Leute meinten, sie würden glänzen wie Bernsteine aus Artheroum. Großvater schüttelte den Kopf. »Frauen wollen heute alles auf einmal«, schimpfte er scherzhaft. »Mann kann nicht beides haben im Leben. Entweder Lesen oder Schreiben. Seit ich schreibe, habe ich diese Bücher nicht mehr angerührt.« Mitra entschied sich für die Bücher. Bei der Kunst des Schreibens fürchtete sie, am Ende leer auszugehen. So aber erbte sie die Bücher, das Haus, das nach Großvaters Tod von niemandem mehr besucht wurde. Mitra hatte viel Zeit für die Bücher. Sie hatte das Gefühl, nicht abgeschieden in einem kleinen alten Haus zu leben, sondern in vielen Welten gleichzeitig, unter Menschen verschiedenster Herkunft. In den Büchern konkurrierten Ideen miteinander. Und fast immer stießen Männer und Frauen aufeinander, mit katastrophalen Folgen.

Mitras Leben hat sich völlig verändert. Sie hat das Haus mit den Büchern an einen jungen, wohlhabenden Wissenschaftler verkauft. Die Bücher waren doppelt so viel wert wie das Haus. Alles in allem viel Geld. Mitra ist ausgewandert. Nur zwei Gründe lassen Menschen auswandern: Not und Liebe. In Mitras Fall war es die Liebe, und weil es die Liebe war, war auch Not im Spiel. Sie hatte sich in eine junge Französin verliebt, die in Berlin lebte, weil es, wie sie meinte, in ihrer Heimatstadt Paris nicht mehr möglich war, sich gewöhnlich zu lieben. Jede Liebe wurde dort zu einer literarischen Angelegenheit voller Zitate und Anspielungen. Eine anstrengende Geschichte, bei der man jene Leichtigkeit vermissen würde, ohne die jede Liebschaft eine Tortur ist. In Berlin war alles anders. Die Atmosphäre war nüchtern, ja beinahe hemdsärmelig. Die Menschen hatten wenig Zeit. Die Liebe war eine Angelegenheit zwischen zwei Mahlzeiten. Es beeindruckte niemanden, wenn man verliebt war.

Die Liebe einer Frau zu einer anderen Frau war in der Stadt, wo Mitras Großvater sein Haus hatte, verpönt. Die meisten Menschen wußten gar nicht von der Möglichkeit einer solchen Liebe. Oder wenn sie jemals davon gehört hatten, vergaßen sie es schnell wieder. Auch Mitra wußte nichts davon, bis sie Marie kennenlernte. Marie schrieb eine wissenschaftliche Arbeit über Mitras Großvater. Sie hatte Mitra einen kurzen aber höflichen Brief geschrieben, in dem sie ihre Ankunft ankündigte und um einen Gesprächstermin bat. Mitra überlegte ein paar Tage, ob sie darauf reagieren sollte. Doch sie war eine zu neugierige Person, um auf die neue Bekanntschaft zu verzichten. Es wird nicht anders sein, als ein Buch aufzuschlagen und dort einer unbekannten Person zu begegnen, redete sie sich ein. Es war anders. Die Frau war in Mitras Alter. Sie war ungefähr gleich groß. Ihr Gesicht hatte ähnliche Züge. Sie hätten Schwestern sein können. Aber Marie hatte lange blonde Haare. Sie ist sehr schön, wie aus Grimms Märchen, dachte Mitra. Sie ist wunderschön, wie aus Tausendundeiner Nacht, dachte Marie. Marie strahlte eine ungewöhnliche Wärme aus, die den Menschen in den Büchern fehlt. Mitra fühlte sich angezogen. Sie gingen zu Mitra, weil es für zwei Frauen nicht schicklich ist, sich in der Öffentlichkeit zu treffen und zu unterhalten.

»Wie kannst du nur hier leben?« fragte Marie Mitra. »Und warum bist du hier?« fragte Mitra zurück. »Wegen deinem Großvater.« »Dann weißt du auch, warum ich hier lebe. Ich habe seine Bücher geerbt und habe erst die Hälfte gelesen.« »Es wird Zeit, daß du hier wegkommst.«
Marie gab Mitra einen Kuß auf den Mund. Mitra wollte den Kuß erwidern, traf aber nur ihre Wange, die weich wie Seide war.
»Um das, was du gelesen hast, zu verstehen, mußt du hier raus.«
»Hier gibt es draußen nichts, außer Kaffeehäuser für Männer.«
»Dann kommst du mit mir nach Berlin?«
Sie unterhielten sich eine Weile über Mitras Großvater. Marie hatte ein kleines Gerät dabei, das Mitras Stimme aufzeichnete, während sie sprach. »Du sprichst wie von einem Gott von ihm«, fiel Marie ihr irgendwann einmal ins Wort. Sie stellte ein paar Fragen, die Mitra verlegen machten. Mitra staunte darüber, daß Marie ihren Großvater nicht bewunderte. »Warum schreibst du über ihn, wenn du ihn nicht liebst«, wollte sie von Marie wissen. War Marie eine falsche Person? Großvater hatte sie immer vor den falschen Personen gewarnt. »Die sehen aus wie Menschen, sind aber in Wahrheit Raben«, behauptete er. »Raben im Menschengewand. Hüte dich vor ihnen.«

»Ich bin Wissenschaftlerin«, sagte Marie. »Das ist nämlich so. Es gibt zwei Welten. Die eine Welt lebt, die andere Welt schreibt über die Welt, die lebt. Ich lebe in der Welt, die schreibt.« »Und wo lebe ich?« fragte Mitra.

Sie hatte Haus und Bücher verkauft und flog zu Marie. Es war nicht einfach wegzukommen. Als Frau einen Paß zu beantragen war allein schon ungewöhnlich. »Normalerweise wird die Frau im Paß ihres Mannes eingetragen. Aber wir machen bei Ihnen eine Ausnahme, da Sie die Enkelin von Padar sind«, hatte man ihr nach diversen Besuchen auf dem Amt gesagt. Auf der deutschen Botschaft, wo sie ein Visum beantragte, das für Menschen aus Mitras Land normalerweise gar nicht zu bekommen war, überzeugte ihr Kontostand die Beamten. Hier schien man sich für das Geschlecht nicht zu interessieren. Das schlimmste aber waren die Auftritte von Padar in ihren Träumen. Mit der Zeit wurden diese Träume regelrecht zu Alpträumen. Padar fesselte sie an einen Baumstamm. Sie war nackt. Er schob ihr seinen Finger zwischen die Beine. Es fühlte sich ganz anders an, als wenn sie das selber machte. Sie spürte in ihrer Scham auf einmal viele Stiche, die sehr wehtaten. Es war als krabbelte ein Insekt mit tausend Stacheln in ihre Vagina. Großvater hielt ihr seinen blutverschmierten Zeigefinger vor die Nase. Der Finger steckte in einem rundherum mit kleinen Nadeln bestückten Fingerhut.

Marie und Mitra hatten eine symbiotische Beziehung. Marie schrieb und Mitra las, was sie geschrieben hatte. Sie lernte mit der Zeit sie zu kritisieren, so daß Marie immer langsamer schrieb. Vielleicht schrieb sie auch langsamer, weil sie Angst hatte Mitra zu verlieren, wenn sie ihre Arbeit über ihren Großvater abgeschlossen hatte. Sie sprachen in mehreren Sprachen miteinander. Nur im Bett wollte Marie kein Französisch hören. Das erinnerte sie an Paris und machte sie frigide. Sie sprachen gar nicht im Bett. Sie waren sich nahe genug und brauchten keine Wörter zwischen sich.

Marie hatte eine große Altbauwohnung in einem Viertel, in dem es fast nur große alte Häuser gab. Drei Mal in der Woche ging sie arbeiten. Sie hatte sich eine Arbeit ausgesucht, bei der man in ein paar Stunden genug Geld für einen ganzen Monat verdienen konnte. Sie arbeitete in einem der Etablissements, bei denen die Männer die Frauen nicht berühren dürfen. Die Liebe wird so wieder zu einer Geheimsprache zwischen Mann und Frau. Sie holen sich die Worte aus den Augen ihres Partners. Mißverständnisse haben schmerzhafte Folgen für den Mann. Der Mann braucht die Frau, um zu leiden. Das ist ein altes biblisches Gesetz, das seine Gültigkeit nicht verloren hat. Sobald man einen verdunkelten Raum betritt, in dem sich eine Frau und ein Mann alleine aufhalten, erfaßt das Paar eine Form der Ausweglosigkeit, wird das Gesetz aktiviert. Marie führte Mitra in die Arbeit ein. Sie übernahmen die Wohnung unter dem Dach und arbeiteten dort abwechselnd. Manchmal auch nur an Wochenenden, je nach der Nachfrage ihrer Kunden.

Ich habe Mitra an einem verregneten Nachmittag kennengelernt. Ich langweilte mich. Ein Termin war ausgefallen und ich hatte plötzlich nichts zu tun. Ich ging in ein Café. Es war fast leer. Außer mir nur noch ein junges Paar, das sich zu streiten schien. Ich blätterte in einem Stadtmagazin und stieß auf die Anzeige. »Nur in einem gequälten Körper ist ein gesunder Mann.« Ich rief an und ließ mir für die nächste Stunde einen Termin geben. Als sie mir die Tür öffnete, war ich sogleich von ihrer Schönheit gefesselt. Sie wirkte nah und fern zugleich. Ich durfte sie nicht berühren. Ich zog mich aus und legte mich auf den Bauch und sie massierte mit ihren Füßen meine Schultern. Mitra erkennt mit den Füßen, ob ihr jemand gefällt oder nicht. Ich bestand die Probe, saß ihr gegenüber und nahm einen Schluck aus dem Glas, das sie mir hingestellt hatte. Der gelbe Saft roch streng, war warm und hatte einen bitter-sauersüßen Geschmack. »Er ist noch frisch«, sagte sie. »Trink ihn aus!« »Willst du in unseren Club aufgenommen werden?« Ich unterschrieb eine Erklärung, die in einer Sprache abgefaßt war, die ich nicht verstand. Als ich aufstand, um mich wieder anzuziehen, kam sie auf mich zu, verstellte mir den Weg und griff mir mit einer entschlossenen Handbewegung zwischen die Beine. Wir liebten uns mehrmals hintereinander. Ich merkte nicht mehr, ob und wie ich kam. Wir schaukelten uns gemeinsam hoch, bis an die Schwelle eines Abgrundes, hielten uns dann gegenseitig fest, jeder am andern, stießen den anderen weg, kämpften. Als ich aufwachte, lag ich in einem Sarg. Aus zwei Löchern über meinem Kopf kam ein wenig Licht und Luft herein. In solchen Situationen merkt man plötzlich wie wichtig diese gewöhnlichen Dinge sind. Ich konnte mich nicht bewegen. Ich war an Händen und Füßen gefesselt. Ich hatte Schmerzen, stechende Schmerzen, ohne sagen zu können woher die Schmerzen kamen. Irgendwann wurde ich abgeholt und wieder in die Freiheit entlassen. Ich war ein anderer Mensch geworden.

Ich wurde Mitras Vertrauter. Wir gingen gemeinsam im Park spazieren, der nicht weit von ihrer Adresse lag. Sie nannte den Park »Wald«. Sie begann mir ihre Geschichten zu erzählen. Sie war eine wunderbare Erzählerin.

Das Haus im Süden

Ich war gerade von einer Lesereise zurückgekommen und hatte mir den Geruch von mittelmäßigen Stadthotels noch nicht vom Leib gewaschen, als ich mich an meinen Computer setzte. Sie brachten gerade ein Interview mit David Lynch im Radio. Ich saß an meinem Schreibtisch, den hellen Bildschirm vor mir, auf dem ein paar Worte standen, die ich mir nicht erklären konnte. Ich wollte ein paar Einfälle notieren, die ich unterwegs gehabt hatte. Seit langem trug ich eine Geschichte im Kopf, für die ich trotz scharfer Umrisse nicht die richtigen Worte fand. Es war die Geschichte eines Kindes, das mit einem verstellten Gesicht auf die Welt gekommen war. Es wollte unbedingt Schauspieler werden. Es hatte ein ungeheures Gedächtnis, das sich alles merken konnte, was es zu hören bekam. Es hatte Namen und Geschichten gespeichert, mit denen niemand anderes etwas anfangen konnte als das Kind selbst. Doch es war ohne Zunge auf die Welt gekommen. Es weigerte sich den Mund aufzumachen, so daß man aus dem Zimmer gehen mußte, damit es etwas Essen zu sich nahm. Das Kind war mager, aber außerordentlich stark. Wie wird aus einem solchen Kind ein Schauspieler? David Lynch sprach über den »elephantman«. Er sprach langsam. Man hörte ihn denken. Er sagte kein Wort zuviel. Ein Gedanke faszinierte mich. Man mußte einen Schauspieler, der nicht sprach, denken hören. Wie denkt man mit dem Körper? Diese Frage stellte ich mir unter der Dusche. Der Schweiß klebte mir auf der Haut. Ich rieche Schweiß nicht ungern. Aber nur den Schweiß von Fremden. Fremder Schweiß strahlt etwas Erotisches für mich aus. Wenn ich mit einer Frau im Bett bin, mich mit ihr wälze, will ich ihren Körper riechen und kein Parfum, das mich an andere Frauen erinnert, die nicht da sind, die ich vergessen will oder vielleicht nicht ausstehen kann. Man besitzt den Körper einer Frau erst dann, wenn man ihren Schweiß riecht. Diese Gedanken kamen mir in den Sinn, als ich mich nach einem lauwarmen Bad abtrocknete. Ich rieb meinen Körper mit einer nach Lavendel riechenden Lotion ein und legte mich schlafen. In meiner Abwesenheit war die Putzfrau einmal in meiner Wohnung gewesen und, wie ich dem Geruch des Bettlakens entnahm, wohl nicht allein. Man kann froh sein, wenn die Putzfrau einem die Wohnung nicht ausräumt. Ich würde dennoch gerne wissen, mit wem sie in meiner Wohnung war. Konnte ich ihr vertrauen? Was ist, wenn sie den Schlüssel nachmachen läßt und jemandem weitergibt? Sollte ich ein Büro beauftragen meine Wohnung zu beschatten, wenn ich das nächste Mal weg mußte? So etwas kostet mindestens 1000 Dollar in der Woche. Aber besser dieses Geld auszugeben, als von einem Unbekannten, der es in deiner Abwesenheit in deinem Bett mit deiner Putzfrau treibt, abgemurkst zu werden. Solche Typen gibt es nicht nur im Kino.

Ich kam nicht als Schriftsteller in dieses Land. Ich war Sicherheitsberater in der Hauptstadt eines kleinen, im letzten Jahrhundert nach diversen Kriegen geschrumpften Landes, das ziemlich genau in der Mitte des alten Kontinents liegt. Um uns herum tobten Bürgerkriege. Aber unser Land war eine Insel der Ruhe und Ordnung. Wir setzten viel daran, diesen Zustand zu erhalten. Ich habe mich nach einem Soziologiestudium zum Sicherheitsberater ausbilden lassen, um bessere Berufsaussichten zu haben. Wir werden hinter den Fronten eingesetzt, entscheiden über die Strategie des Kampfes gegen Drogen, Menschenhandel, illegale Einwanderung. In einem kleinen Land sind nationale Fragen immer Gegenstand der Diskussion. Zugehörigkeit lenkt die Meinungen, sorgt für ein enges Spektrum. Damals habe ich mir über diese Dinge keine Gedanken gemacht. Ich bewarb mich um eine Ausbildung in den Vereinigten Staaten, weil ich mich in eine junge Amerikanerin verliebt hatte. Sie lebte als Journalistin in Detroit. Der Zufall wollte es, daß auch meine Fortbildungsstätte in Detroit lag. In den neun Monaten, die ich dort verbrachte, hatte ich viele Nachteinsätze und wir lebten uns auseinander. Detroit ist ein Modellfall für jedes von Bürgerkrieg bedrohte Land. Die Menschen bewohnen keine Häuser, sondern Mauern. Sie teilen kein gemeinsames Interesse mehr. Sie werden nur dann aufeinander losgelassen, wenn es einen Krieg gibt. Ich wollte, daß Jane mit mir nach Europa geht. Aber sie trennte sich von mir und zog nach Los Angeles, ins Wespennest, wie sie diese Stadt nannte, wo sie einen besser bezahlten Job als Korrespondentin gefunden hatte. Ich war zu stolz, um ihr hinterherzugehen, wollte aber zumindest in dem selben Land wohnen wie sie. Also nahm ich den erstbesten Job an, der mir angeboten wurde.

Ich wurde politischer Berater einer Firma in Boston, die hochentwickelte Waffentechnologie in Krisengebiete verkaufte. Ich war wie geschaffen für dieses Geschäft. Da, wo ich herkam, gab es permanent Krisen. Technologisch war man auf dem Stand von vor dreißig Jahren. Ein ideales Absatzgebiet. Ich habe meine Erfahrungen in dieser Firma später zu meinem ersten Buch verarbeitet. Das kostete mich zwar eine gut dotierte Stelle, brachte mir aber auch einiges an Ruhm und Ärger ein. Ich bekam Drohungen. Ich wechselte ungefähr einmal im Monat die Wohnung, lebte unter falschem Namen, bis ich selber nicht mehr wußte, wer ich war. Das kleine Land hatte mich längst ausgebürgert und wollte mich nicht mehr aufnehmen. Kleine Länder sind schnell beleidigt und ziemlich nachtragend. Ich blieb also in dem großen Land, in dem es zwar gefährlich war, aber ich war nicht der Einzige, der hier in Gefahr leben mußte. Ich lebte dort, wo man mich nicht unbedingt vermuten würde, in Boston. Ein Vorteil von Boston ist, daß es unweit von New York liegt. Mein zweites Buch erschien unter Pseudonym und hatte mit dem ersten nichts mehr zu tun. Ich schrieb von einem Mann, der sich verfolgt fühlt und mit diesem Gefühl durch die USA reist. »Lost on Highways« wurde ein großer Erfolg. Vor allem die Truckfahrer zählten zu seinen begeisterten Lesern. Es gibt kaum einen Autor in diesem großen Land, der nicht einmal in seinem Leben etwas über die Highways schreibt. Ich tat das ziemlich schnell, um es hinter mich zu bringen. Denn meine eigentliche Geschichte sollte sich in einem großen alten Haus im Süden abspielen.

Viele Menschen kommen hierher, weil bei ihnen zu Hause die Enge überhand nimmt und jeglicher Fortschrittsglaube einer dunklen Zukunftsangst Platz macht. Hier jedoch, erscheint die Zukunft greifbar nahe, jeder kann daran teilnehmen. Sie wird zwar nur von Wenigen entworfen, aber sie geben den anderen das Gefühl, wichtige Rollen in diesen Entwürfen zu besetzen.

Ich habe meine eigentliche Geschichte noch nicht geschrieben. Wie vielen anderen Autoren kann es auch mir passieren, daß ich sie niemals schreiben werde. Man schreibt viele Bücher auf der Suche nach der eigentlichen Geschichte. Doch ist jede Suche vergeblich, solange die Geschichte selbst einen nicht sucht.

Ich hörte davon, daß Jane inzwischen in Liberty lebte. Ich weiß nicht, warum ich so eine Idee habe, daß Jane nicht nach Liberty gezogen ist. Sie haßte den Mittelwesten. Aber vielleicht ist es ihr im Wespennest zu unangenehm geworden und sie wollte etwas ganz anderes ausprobieren. Dann hätte sie auch mit mir nach Mitteleuropa gehen können. Die Menschen hierzulande unternehmen oft einen ungeplanten, manchmal auch undurchdachten Abstecher. In ihrer Sprache fehlt ein Wort wie »durchdacht«. Eine solche Vokabel können nur diejenigen erfinden, die seit drei Generationen im selben Haus wohnen und zum Denken immer alle Türen und Fenster schließen. Die Häuser hierzulande haben nicht einmal richtige, feste Türen, ein Detail, das in meiner eigentlichen Geschichte eine wesentliche Rolle spielen soll. Ich weiß, daß Jane in Gefahr ist. Man wird sie entführen, weil sie mit mir zusammen war. Alle

Frauen, die mit mir zusammen waren, sind verschwunden. Die Entführer glauben wohl, daß ich ihnen die Geheimnisse meines Lebens anvertraue. Was für ein naiver Glaube. Ich setze die Frauen natürlich auf falsche Fährten und mit ihnen meine Verfolger. Sie rächen sich dafür an den Frauen. Der Raffinesse des Mannes zum Opfer zu fallen ist das Schicksal einer jeden Frau. Nur Frauen, die nicht lieben können, entgehen einem solchen Schicksal. Sie machen Karriere und werden zu Konkurrentinnen des Mannes.

Jane war ganz anders. Sie wirkte als stammte sie nicht aus dieser Welt. Hätte ich nicht gewußt, daß die Suche nach Außerirdischen bisher erfolglos geblieben ist, hätte ich denken können, daß sie eine solche war.
Sie war ohne Eltern in einem Heim aufgewachsen. Ihre Eltern waren schon kurz nach ihrer Geburt bei einem Verkehrsunfall ums Leben gekommen und die anderen Verwandten wollten sich nicht um Jane kümmern. Jane sprach wenig, las und schrieb viel. Man nannte sie im Heim Erzählerin, weil sie einmal in der Woche aus ihren Geschichten vorlas. Irgendwie dachte Jane, daß man sich mit Schreiben bei den Leuten beliebt machen kann. Was für ein Irrtum. Aber auch die Berufserfahrung als Journalistin, nicht einmal die Arbeit als Klatschkolumnistin, bei der sie den Seitensprüngen berühmter Personen nachspürte, hatte ihr diesen Aberglauben austreiben können.

Ich habe Jane alle meine Bücher geschickt. Ich weiß nicht, ob sie sie bekommen hat. Sie hat nie darauf reagiert. War es nicht ihre Person gewesen, die mich zum Schreiben brachte? Ist sie es nicht, die im Mittelpunkt der eigentlichen Geschichte steht, die ich noch schreiben werde? Jemand wie Jane, die ihr ganzes Leben an den Rändern verbracht hat, im Mittelpunkt einer Geschichte zu haben, ist keine leichte Aufgabe. Im Kino setzte sie sich immer in die letzte Reihe an den Rand. Wie oft hatten wir uns deswegen gestritten. »Wenn es brennt, bin ich die erste, die draußen ist«, sagte sie. Auch im Bus oder in der Untergrundbahn ging sie immer nach hinten, suchte einen Platz in der letzten Reihe.

Es war ein sehr heißer Tag. Die Clarks waren von einem Segelausflug zurückgekehrt. Der Brief von der Firma lag im Briefkasten. Diese Firma arbeitete international, aber die Clarks wollten einheimische Ware, auch wenn sie doppelt so teuer war wie Kanadische und dreimal so teuer wie mexikanische. Bei den Menschen ist es genauso wie bei anderen Waren. Je mehr es davon gibt, um so billiger wird ein Mensch. »Ihr Wunsch nach einer Jungfrau konnte nicht erfüllt werden, aber wir haben ein besonders prächtiges Exemplar für Sie«, stand in dem Brief, der ohne Absender aus einem mitteleuropäischen Land abgeschickt worden war. Diese Firma vermittelte normalerweise Bürgerkriegsflüchtlinge aus Kriegsgebieten in andere Teile der Welt, vornehmlich nach USA und Deutschland. Nach Amerika, weil es ein reiches und weites Land ist, und nach Deutschland, weil das deutsche Gewissen sich historisch bedingt mehr strapazieren läßt als das Gewissen von Völkern anderswo. Die Firma war darum bemüht, ihren Geschäften einen humanitären Anschein zu geben. Als ein illegales Nebengeschäft kam die Firma den Aufträgen von grausamen, meistens kinderlosen Paaren nach, die sich ein Adoptivkind zum Spielen bestellten. Das Spiel dauerte oft einige Tage, manchmal auch nur ein paar Stunden, wenn sich das Paar nicht zurückhalten konnte. Wenn das entführte Kind jedoch Pech hatte, gelangte es in die Hände von Spezialisten, manchmal für Monate.

Es kam selten vor, daß eine erwachsene Frau bestellt wurde und schon gar nicht eine Einheimische. Aber die Clarks hatten ein hohes Honorar ausgesetzt. Sie waren gute Kunden der Firma, meldeten sich fast regelmäßig einmal im Jahr. Woraus man schließen konnte, daß sie hervorragende Spezialisten waren. Die Kinder einzufangen war leicht. Die meisten stammten aus dem Busch. Die Eltern oder die Personen, die sich als solche ausgaben, aber in Wirklichkeit Zwischenhändler waren, kassierten ein paar Dollar, was im Busch ein kleines Vermögen ist. Die Kinder wurden betäubt und in speziellen Koffern zum Auftraggeber transportiert. Auf diese Weise konnte man sie bis zu vierundzwanzig Stunden am Leben halten.

John Clark hatte Aktien von seinem Vater geerbt, der bei der Air Force gewesen war. Er hatte eine außerordentlich glückliche Hand bei der Anschaffung von Aktien nach dem Krieg gehabt. Sein einziger Sohn hatte nicht nur seine Aktien, sondern auch sein Glück geerbt. Er hatte es geschafft das Vermögen des Vaters trotz einiger dramatischer Börsenkräche zu konsolidieren. Auf der Börse, in deren Nähe er ein großes Haus im Kolonialstil mit einem weitläufigen Garten bewohnte, lernte er Klara kennen, eine deutsche Ökonomiestudentin, groß, blond, mit langen Beinen, die in den kurzen Röcken, die sie trug, John wie römische Säulen vorkamen. Wie alle Deutschen, die sich interessant machen wollten, hatte auch Klara italienische Vorfahren. »Norditalienisch«, wie sie zu betonen pflegte. »Im Süden sind die Araber.« Durch Klara entdeckte John Sex. Sie biß ihm kräftig auf die Lippen. Das gefiel ihm. Sie biß immer stärker. Eines Nachts hatte sie ihn blutig gebissen. Er blutete aus den Lippen, den Ohrläppchen, aus den Brustwarzen, hatte Blutergüsse an den Armen und Schenkeln. »Jetzt gehörst du mir«, sagte Klara, nachdem sie sich auf ihm ausgetobt hatte, bis sein Glied ihr keinen Widerstand mehr entgegen bringen konnte. Sie heirateten. Ab diesem Tag nannte John Klara »meine liebe Henkerin«.

Die Clarks wurden reicher und grausamer. Sie veranstalteten schwarze Orgien mit Gleichgesinnten. Aber es war nicht so leicht Opfer zu finden, die sich freiwillig an der Schwelle des Todes quälen lassen wollten. Da entdeckte John über eine Anzeige im Internet die Firma. Sie trafen sich mit einem Vertreter, einem schüchternen jungen Mann aus New Jersey. Die Clarks wußten, was sie wollten. Man kam schnell überein. Drei Wochen später war das erste Spielkind da. Ein braunhäutiger Junge von neun Jahren. Sie behielten ihn zwei Wochen lang. Sie probierten alles aus, was sie sich bei sich oder anderen Lebewesen nicht trauten. Klara hatte sich von dem Schwanz des Jungen nicht trennen wollen. Er war schon ziemlich reif für sein Alter. Sie hat ihn in einem Glas aufbewahrt und zeigt ihn besonderen Gästen. Die Clarks haben bei sich genug Platz für verstümmelte Leichen. Niemand weiß, daß das Haus einen Keller hat, der fünfzehn Meter unter der Erde liegt. Johns Vater hatte ihn für den Fall eines Atomkrieges als Bunker ausbauen lassen. Jetzt diente er den Clarks in ihrer üppigen Freizeit als Spielhölle. Die Geschäfte an der Börse liefen inzwischen über Makler. John ließ sich nur noch an den Jahreshauptversammlungen der wichtigsten Unternehmen blicken.

Natürlich ist die Existenz der Firma den Sicherheitsorganen bekannt. Es gibt viele Gründe, warum man ihre Aktivitäten nicht unterbindet. Warum sollte der Staat die Eliminierung potentieller Immigranten unterbinden? Die Aktivitäten dieser Firma gehen konform mit den Interessen des Staates. Deshalb ist die Zentrale in Mitteleuropa. Man hat dort außer Steuerfahndern niemanden zu fürchten.

Jane eignet sich durchaus als Opfer für die Clarks. Dennoch stellt sich langsam die Frage, ob ich die Geschichte Janes, also die eigentliche Geschichte, erzähle, oder die Geschichte der Clarks, also die Geschichte auf der Suche nach der eigentlichen Geschichte. Die eigentliche Geschichte muß perfide und kompliziert sein. Alle von Immigranten erfundenen Geschichten sind so, haben so zu sein.

Die Eltern von Jane starben bei einem Verkehrsunfall, den ein angetrunkener Luftwaffengeneral verursacht hatte. In den Zeiten der atomaren Gefahr, war ein Luftwaffengeneral mächtiger als ein junges frisch immigriertes Paar. Nach dem Unfall vertauschte man die Blutproben. Man gab Janes Vater die Schuld, wegen Trunkenheit am Steuer. Der General blieb nicht nur unversehrt, er wurde auch nicht belangt. Wer weiß, warum er dem Waisenkind Geschenkpakete schickte, und warum er die Geschichte auf dem Sterbebett seinem Sohn John beichtete. Vielleicht fiel ihm der Tod dadurch leichter. John hatte einige Informationen über die junge Frau gesammelt, die Jane hieß und in bescheidenen aber ordentlichen Verhältnissen lebte.

Er besaß ihre Lebensdaten und einige aktuelle Photos von ihr. Er hatte Klara nichts von ihr erzählt, ohne daß er wußte, warum.

Als sie den Sarg - wie der spezielle Koffer, der wie eine Kühlbox konstruiert war, genannt wurde - öffneten, war Jane bereits bei Bewußtsein. Sie war etwas blaß, schien aber ansonsten in Ordnung zu sein. Man legt die entführte Person nackt in den Sarg, damit man nicht unnötiges Gewicht schleppen muß. Außerdem kann der Kunde die Ware sofort umstandslos begutachten. Johns Augen gingen weit auf, als er Jane erblickte. Er warf den Deckel wieder zu. Klara beschwerte sich. »Ich habe sie gar nicht richtig sehen können. Was hast du?« »Wir schicken sie zurück«, antwortete John hastig. »Spinnst du? Wie stellst du dir das vor. Wie können wir sicher sein, daß sie uns nicht gesehen hat? Willst du in die Zeitungen kommen?« John schloß den Koffer ab. Er ging nach oben. Klara folgte ihm unwillig.

Im Salon goß sich John einen Whiskey ein. »Wie lange kann sie überleben?« fragte er Klara. »Noch sechs Stunden, aber dann wird schon ein Teil von ihrem Körper abge-

storben sein. Wenn wir den ganzen Körper haben wollen, müssen wir sie spätestens nach vier Stunden auftauen.«
Vier Stunden können lang sein. John liebte seinen Vater. Er fragte sich, in wie weit das Gewissen seines Vaters nicht sein eigenes Gewissen geworden war. Zumindest teilte er sein Wissen. Er überlegte die Schritte, die er unternehmen mußte. Zum ersten Mal, seit sie zusammen waren, war Klara an seinen Überlegungen nicht beteiligt. Sie bemerkte es und war unruhig. »Kennst du das Weib?« fragte sie spitz. »Eine ehemalige Geliebte vielleicht? Liebst du sie noch? Sag, liebst du sie?« Sie hatte ihre Stimme gehoben, etwas Verzweifeltes lag in ihr.

Die eigentliche Geschichte konzentriert sich auf das Verhältnis zwischen Jane und John. Klara ist eine Randfigur. Sie hat jetzt zu verschwinden. An ihre Stelle soll Jane treten, aber Jane hat einen anderen Charakter als Klara. Kommt es zu einem gigantischen Kampf der beiden Frauen? Eine der drei Personen wird sterben. Die gewöhnliche Geschichte sieht den Tod von Jane vor. Die dramatische den von Klara, die eigentliche aber den Tod von John. John nimmt Tabletten. Er fühlt sich wie gelähmt. John tötet Klara mit einem Küchenmesser. Klara wehrt sich nicht. Dann nimmt er immer mehr Tabletten ein, ohne Jane zu befreien. Jane hat nur noch wenig Luft und friert, als ich das Haus durch ein offengelassenes Fenster betrete. Ich habe einen Revolver in der Hand. Plötzlich fällt mir ein, daß ich vergessen habe ihn zu laden. Ich bleibe vor einem Spiegel stehen, der mir den Raum hinter meinem Rücken zeigt und lade die Waffe. Werde ich den Eingang zum Keller noch rechtzeitig finden? Ich habe keinen Plan vom Haus und verlasse mich auf mein Gefühl. Die Spannung steigt ins Unerträgliche. Kommt es zum Happy-End? Ich bin durch das ganze Haus gegangen und lasse mich erschöpft von der Anspannung auf einem Sofa im Salon nieder. Wertvolle Sekunden verstreichen. Das Haus ist leer bis auf die beiden Leichen. Plötzlich fällt mir auf, daß das Blut von Klara sich nicht ausgebreitet hat. Das Blut muß unter ihrem großen Körper abgeflossen sein. Ich schiebe sie zur Seite. Tatsächlich kommt eine Falltür zum Vorschein, die nicht ganz dicht schließt. Ich öffne sie. Eine lange Treppe führt nach unten. Das Haus hat einen Keller, genau wie ich es mir dachte. Ich überlege, ob Klara in der eigentlichen Geschichte eine so zentrale Rolle spielen darf, während der Zuschauer mein Zögern nicht begreifen kann und mich verflucht. Ich gehe schließlich hinunter und finde den Koffer auf einer Marmorplatte abgestellt. Der Koffer geht nicht auf. Sein Zahlenschloß hat einen Code, den ich nicht kenne. Ich versuche es mit einer Zange, die auf einem Brett neben diversen anderen Instrumenten liegt. Ohne Erfolg. Ich weiß, daß ich nichts mehr ausrichten kann. Ich bin jetzt in den Stricken der eigentlichen Geschichte gefangen. Sie kennt offenbar kein glückliches Ende. Ich verlasse niedergeschlagen den Raum.

Der Fremdenführer

Es war ein Tag, an dem die Schiffe nicht zu sehen waren. Sie bringen Menschen und Nahrungsmittel auf die Insel. Es dürfen nicht mehr Leiber an Bord sein als Brotlaiber in den Säcken. Pus, pusu, pusula. Leichter Nebel, Hinterhalt, Kompaß, war die Parole, zu Zeiten als die Insel ein Umschlagplatz für Schmuggler war. Heute hat die Insel ihre Bedeutung für den Schmuggel verloren. Es gibt einen Flugplatz. Außerdem gibt es kaum einen Felsen, der nicht jederzeit von einem Touristen betreten werden kann. Ein Staubvorhang, der einen Sommer lang nicht gewaschen worden war, verhüllte die Sonne. Es war ein Tag, an dem man sich seinen Erinnerungen hingibt. Und wer keine Erinnerungen hat, geht ins Kino. Auf der Insel gibt es ein einziges Kino. Der Film wechselt wöchentlich, nicht jedoch die Zeit, aus der die Filme stammen. Sie zeigen ausschließlich Hollywood-Filme aus den vierziger Jahren. Auf die Frage, warum sie keinen Film aus den fünfziger Jahren zeigen, antwortet der Betreiber des Kinos, der auch Platzanweiser und Vorführer in einer Person ist, daß er mit den Filmen aus den Vierzigern noch nicht durch ist. Er hat das Kino von seiner Mutter geerbt. Über die Frau gibt es verschiedene Gerüchte. Sie soll eine erfolglose Schauspielerin gewesen sein. Mahmud, ihr Sohn, mit dem sie in einer kleinen Wohnung über dem Kino lebte, soll gar nicht ihr Sohn gewesen sein, sondern ihr Liebhaber. Sie hätte schon mehrere Kinder von ihm abgetrieben. Eine Hexe wie sie könne sogar mit sechzig noch schwanger werden. Sie war mindestens zwanzig Jahre älter als er. Als sie starb, hatte er noch keine grauen Haare. Er ließ sich einen Bart stehen. Mit dem Bart sah er aus wie ein Fischer. Auf der Insel hatte jeder einen Vorfahren, der Fischer gewesen war. Aber es gab keine Fischer mehr. Dennoch nannte man die Touristen Fische. Sie kamen aus dem Meer, brachten Nahrungsmittel, manchmal sogar Geld. Die Insel war weder arm noch reich. Man verlor hier das Gefühl für Besitz. Alle hatten ein Haus, etwas Grund, den Himmel und das Meer, auch wenn es an manchen Tagen im Nebel versteckt war. Und sie hatten Tiere. Es gab sogar Papageien auf der Insel, die einst mit den Schmugglern auf die Insel gekommen waren.

Ich weiß nicht, wie ich auf die Insel kam. Wahrscheinlich bin ich wie alle anderen hier geboren worden. Alle Insulaner sind mehr oder weniger Waisenkinder. Wenn man hier zuhause ist, hat man einen Riß in seinem Gedächtnis. Mit diesem Riß muß man leben, auch wenn er einen ein ganzes Leben lang beschäftigt. Anderswo widmen sich die Menschen ihrer Zukunft, oder wollen den Augenblick genießen. Wir auf der Insel dagegen sind nicht nur vom Wasser umgeben, sondern auch von vielen Fragen, die Löcher in unsere Lebensgeschichten bohren. Man beschäftigt sich mit diesen Fragen, auch wenn man genau weiß, daß sie nicht zu beantworten sind. Mein Leben ist nicht schwer. Ich kann nicht behaupten, daß ich glücklich bin, aber ich lebe mit einer gewissen Leichtigkeit. Ich habe keine Verantwortungen. Ich bin Touristenführer. In diesem Beruf muß man auf zwei Dinge achten, auf den Körper und auf die Zunge. Ist die Zunge nicht ein Teil des Körpers?

Wer seine Zunge nicht beherrscht, verliert seinen Körper. Und wer seinen Körper verkommen läßt, wird nicht mehr gehört. Mit den Fremden geht man immer die gleichen Wege. Das ist wie ein Ritual. Man sucht in ihrer Begleitung eine Art Ersatzheimat. Je älter der Ort ist, den man als Fremder besucht, um so mehr glaubt man an die Möglichkeit, hier beheimatet zu sein. Man setzt sich auf antike Steine, fühlt sich in einem Steinbruch geborgen, der, erschiene er einem im Traum, einen hochschrecken ließe. Die Steine auf unserer Insel sind sehr alt. Wenn die Sonne sie wärmt, wirken sie weich. Man berührt sie gerne. Die antike Stadt liegt zwischen zwei Buchten. Oleander, Kiefern und Granatäpfel bilden eine wohlriechende Atmosphäre für die Untergangsarchitektur. Die beiden Buchten bilden einen natürlichen Hafen. Dieser Ort war einst ein Paradies für Piraten. Wie jeder Fremdenführer habe auch ich meine Lieblingsplätze. Aber ich will sie nicht verraten. An manchen Abenden, wenn die Tagesausflügler weg sind, beginnt hier auf der Insel die schönste Stunde. Die Bäume wechseln ihre Farben von einem Augenblick zum anderen. Das Meer wird rauher. Es birgt viele Stimmen in sich. Ich gehe zu einem der Steinbrüche und berühre die Verzierungen auf den Steinen, die Reliefs, die die Zeit umgestaltet hat. Ein abgebrochener Weinbecher, ein Hundekopf, der einst ein Löwenhaupt darstellte. Ich lese keine Bücher. Mir reicht das, was ich sehe. Dahinter stelle ich mir eine weite und unerforschte Welt vor, in der ich ziellos umhergehen kann. Wenn ich nicht arbeite, denke ich. Ist denken weniger von Bedeutung als das Lesen von Büchern? Ich habe auch einen Nutzgarten. Ist Petersilie nicht genauso wertvoll wie eine Gedichtzeile? Solche Fragen gehören nicht zu meinem Leben. Sie entstehen meistens, wenn ich mir das Leben von anderen vorstelle. Ich schreibe es auf. Meistens schlüpfe ich in die Haut von Fremden, die über Nacht auf der Insel bleiben. Ihre Zahl ist nicht sehr groß. Die meisten machen nur einen Tagesausflug hierher. Ich habe ein Gästezimmer in meinem Haus. So haben die Frauen, mit denen ich etwas hatte, die Möglichkeit sich danach zurückzuziehen. Doch die meisten wollen das gar nicht. Vielleicht kommen sie hierher, um sich zu geben, der Nähe wegen. Das ist manchmal anstrengend. Nicht jede Nähe ist erträglich. Manche Menschen beanspruchen nicht nur den Körper des anderen, sondern auch den Raum, den dieser einnimmt. Man kann dann kaum noch atmen. Nur wenn man den anderen liebt, entsteht neuer Raum. Aber mit der Zeit ist auch dieser Raum verbraucht. Man leidet immer wieder an Atemnot.

Der Herbst auf der Insel ist lang. Die Winter sind mild. Auf einen langen Herbst kann plötzlich der Frühling folgen.

Alles begann damit, daß sie meinte, ich sähe ihrem Mann ähnlich. Wir brauchten nicht zu verhüten. Wir waren von einem langen Spaziergang zurückgekehrt und brauchten die gegenseitige Wärme. In diesem Jahr hatte sich der Frühling verspätet. Die ersten Touristen liefen in Pullovern herum und kamen sich vor wie Aussteiger, die das Wagnis eines seltenen Abenteuers eingegangen waren.

»Hast du keine Kinder?«

»Nein, aber ich will eins.«

»Bist du deshalb auf der Insel?«

»Ja.«

»Ich kann das verstehen. Man ist hier an der richtigen Adresse, wenn man einen anonymen Vater will. Hier passieren viele ungeplante Schwangerschaften. Wir nennen sie Unfälle.«

»Ich will keinen Unfall. Ich will ein Kind.«

Ich mache Liebe immer auf die gleiche Art und Weise. Zunächst schaut man sich tief in die Augen und greift dann nach der Hand der Frau. Man greift fest. Man darf nicht zaghaft oder unentschlossen wirken. So kann man jeden Widerstand überwinden. Es kommt auch vor, daß man selbst einen Widerstand empfindet, ein Gefühl des Ekels. Beim Küssen bin ich meistens stürmisch und warte bis die Frau »warte, nicht so schnell« sagt. Diese Worte wirken wie eine Parole auf mich, um mich auf den Rücken zu legen und alles andere von der Frau machen zu lassen. Ich sorge nur dafür, daß mein hängendes Glied sich von seiner Ruhelage erhebt und nicht mehr schlapp macht, bis die Aufforderung der Frau, ich solle kommen, überzeugend auf mich wirkt. Ich kümmere mich nicht darum, ob die Frauen, mit denen ich schlafe, einen Orgasmus haben. Es gibt keine Orgasmusgarantie bei mir.

Mit ihr war alles anderes. Wir waren uns gegenseitig sympathisch und spielten miteinander. Ich glitt mit meiner Zunge ihre Schamlippen entlang. Sie dufteten nach Rosenwasser. Sie weiß nicht, daß man Rosenwasser nur für Hände und Gesicht benützt, schoß mir durch den Kopf, aber ich sagte nichts. Es ist aufregend, Liebe mit einer Frau zu machen, die einen Kopf größer ist als man selbst. Ich lutschte ihre Zehen, zuerst den großen Zeh, dann alle anderen, der Reihe nach. Ich nehme in solchen Dingen die Hierarchie ernst. Bei jedem Zeh gab sie einen anderen Ton von sich. Ich nahm ihren Fuß in meinen Mund, die Töne glitten ineinander, sie wurde laut. Ihr Lusthügel schäumte. Wir hielten uns lange auf jener Schwelle auf, jenseits deren es kein Halten mehr gibt. Sie kam auf mir, stieg ab, lutschte meinen Schaft, nahm ihn zwischen die Beine, verschlang mich, ich weiß nicht, was sonst noch passierte. Ich habe mich später über die Spuren an meinem Körper gewundert. Ich bin ihr treu geblieben. Ein Jahr später bekam ich Post von ihr. Wir sind zu dritt, sagte sie in schöner Handschrift. Und ich sah ein strahlendes Paar mit einem Baby auf dem Photo. Ihr Mann sah mir wirklich ähnlich. Er war älter, hätte aber mein Bruder sein können.

Die Fährtenleser

Zwei Passagiere, die einst gemeinsam aufgebrochen waren, um sich einen Platz in der Heimat des jeweils anderen zu suchen, stellten nach einer Weile gemeinsamen Reisens fest, daß sie sich trennen mußten, um an das erwünschte Ziel zu gelangen. Doch das fiel ihnen schwer, weil sie sich unterwegs angefreundet hatten. Zahlreiche Gefahren, die sie nur durch eine solide Kameradschaft und starkes gegenseitiges Vertrauen überwinden konnten, festigten ihre Bindung.

Unterwegs ist man verwundbarer als Zuhause. Und wer kein Zuhause gefunden hat, lernt seine Entfremdung zu lieben. Er fühlt sich auch in Augenblicken der Einsamkeit mit seinen Schmerzen verbunden. Waghalsige Reiselüstlinge behaupten gar, daß der Mensch erst über seine Entfremdung heil werde.

An jenem Morgen, an dem die beiden Freunde sich trennen wollten, geschah etwas Unvorhergesehenes.
Sie trafen auf jemanden, der nach eigenem Bekunden auf der Suche nach ihnen war. Er hatte ihre Geschichte von Ansässigen gehört, die die beiden auf ihrer Durchreise kennengelernt hatten. Es war ein Mann im mittleren Alter, untersetzt, mit schütterem Haar, insgesamt etwas un-

scheinbar. Sein Gesicht war von Pockennarben gezeichnet. Er trug eine graue Regenjacke und abgetragene, braune Cordhosen. Typen wie ihn trifft man regelmäßig an Hotelbars. Sie verbreiten den Eindruck, als würde sich ihr ganzes Leben dort abspielen.

Der Mann stellte sich als Reporter vor. Er wolle eine Reportage zum Thema Freundschaft schreiben. Er sei sich sicher, daß alle Schriftsteller der Gegenwart an diesem Thema scheiterten. Der Grund für ihr Scheitern sei darin zu suchen, daß sie weder aus eigener Erfahrung noch aus Beobachtung fester Freundschaft begegnet seien. Er aber hoffe nun durch ihre Bekanntschaft in das Geheimnis einer solchen Freundschaft einbezogen zu werden, so daß er dann imstande sein würde, darüber zu berichten.

Was tun?
Ohne Zweifel, der Mann hatte lautere Absichten. Sein Wirken diente einem guten Zweck. Doch die Freunde, blieben sie zusammen, würden ihr selbstbestimmtes Ziel aufgeben müssen, und vielleicht auf ihrem weiteren Weg gar keine guten Freunde mehr sein. Überhaupt hätten sie zu entscheiden, wer mit dem anderen zu gehen hat, oder ob man sich gar für einen ganz anderen, nicht vorgesehenen Weg entscheidet. In diesem Fall könnte vermieden werden, daß einer sich bevorzugt fühlt, weil keiner dem Anderen folgen müßte. Der Bevorzugte wäre nicht der Gefahr ausgesetzt, unter der Last der Bevorzugung zu leiden.

Sie verschwiegen dem Reporter ihre Sorgen. Sie sagten ihm

auch nichts über ihre Entscheidung auseinandergehen zu wollen. Sie verstellten sich.

Und das Verhängnis nahm seinen Lauf. Sie hatten sich bereit erklärt, dem Reporter einen ganzen Tag zur Verfügung zu stehen. Doch dieser beharrte auf einer Weiterreise und einer Begleitung in den nächsten drei Tagen. Nur auf Reisen könne er ihre Freundschaft kennenlernen.

Sie mußten ihm recht geben. So entschieden sie sich für einen neuen Weg, der ihnen beiden unbekannt war. Doch irgendetwas zwischen ihnen war aus dem Lot. Gute Freundschaften hält immer ein unsichtbarer Faden zusammen. Dieser ist so haarfein, daß es passieren kann, daß er bei einer zu heftigen Bewegung reißt, ohne daß man es gleich merkt. Später wundert man sich über Auseinandersetzungen, Krise und Konflikte. Schließlich folgt Abkühlung und Entfremdung.

Der Reporter hatte ihre Welt betreten, ohne dazuzugehören. Er folgte ihnen. Sie aber hatten das Gefühl ihm zu folgen. Sie waren seine Gefolgsleute. Das war tragisch. Denn beide waren einst aus einer Gefangenschaft ausgebrochen. Sie hatten sich den Begleiter und treuen Freund aus dem jeweils feindlichen Lager ausgesucht. Sie hatten Ängste und Feindschaft in körperliche Nähe und geistige Verschmelzung verwandelt. Ohne Zeugen, wie sie dachten. Doch sie waren für jeden, der ihnen unterwegs begegnete, für jeden flüchtigen Kontakt eine prägende Erinnerung, ein bleibendes Erlebnis.

Sie gingen in die Berge. Die Höhenluft mit ihren zahlreichen Mineralien und ihrem scharfen Licht hat manchmal eine klärende Wirkung. Drei Tage lang begegneten sie niemand. Dieser Umstand kam dem Reporter sehr gelegen, der die beiden Freunde ungestört beobachten wollte. Er fragte sie selten etwas. Er machte sich nicht einmal Notizen. Er beobachtete nur. Manchmal folgte er ihnen aus einer gewissen Entfernung. Doch er blieb immer in ihrer Nähe, so daß sie niemals wirklich alleine waren.

In diesen drei Tagen fühlten sie sich der Natur nahe. Die Berge waren voller frischer Kräuter. Sie strahlten Jugend und Unberührtheit aus. Die beiden Freunde hatten das Gefühl, einander durch einen Filter zu sehen. Dieser Filter verwandelte sie. Er stellte sie nach außen hin ruhig, konnte aber die innere Unruhe, die beide erfaßt hatte, nicht besänftigen. Sie kümmerten sich nicht mehr. Sie wurden sorglos. Sie hatten miteinander nichts mehr zu tun. Der Reporter merkte davon nichts. Er hatte keine Ahnung, wie es zwischen ihnen einmal gewesen war.

Nach drei Tagen verabschiedete er sich von ihnen, mit den Worten, diese drei Tage wären für ihn eine Zeit der inneren Einkehr gewesen. Er könne sich die beiden Freunde niemals getrennt vorstellen. In diesem Augenblick wußten beide, daß sie sich nie mehr trennen würden. Sie waren keine Freunde mehr, sondern Verbündete, die von der Geschichte des Reporters, seinen Worten und Phantasien zusammengehalten wurden. Sie fühlten sich beobachtet. Der Reporter hatte eine Tür aufgestoßen und

einer wartenden Menge von Neugierigen die Sicht freige-
geben.

Sie aber sehnten sich nach einem Ort, den sie mit niemandem teilen mußten.

Ich ahnte von Anfang an, daß Tom Robert war, und daß es Robert nie gegeben hatte. Tom hatte eine Zeitungsmeldung benutzt, um mich in die Irre zu führen. Doch einige Details in Toms Prosa, die er mir als Nachlaß von R. zum Lesen gab, hatten mich Verdacht schöpfen lassen. Meine Recherchen bei der Polizei ergaben, daß der Tote ein Fernmeldetechniker gewesen war, der einem brutalen Raubmord zum Opfer gefallen war. Tom war in meinen Augen ein Schriftsteller, auch wenn er sich nicht zu seinen Geschichten bekannte und vielleicht sogar Angst vor den Konsequenzen seiner Phantasien hatte. Mir war klar, daß diese Angst vergeblich war, daß die Angst nur ein kleiner Teil der Phantasie ist, die nur darauf wartet von einem entschlossenen Träumer überwältigt und getilgt zu werden. Ich hatte Vertrauen in Toms Sprache. Ich hätte ihm meinen ganzen Nachlaß vermachen können. Vorläufig aber schickte ich ihm seine Texte zurück und legte ihnen das erste Kapitel meines nächsten Buches bei, das ich »R.« nennen wollte.

Endlich konnte ich meine große Reise antreten.

R.

Er konnte keine Geschichten schreiben, ohne jene Frauen aufzusuchen, die ihm nur wenig bekannter wurden, wenn er sie nach einer Stunde wieder verließ. Sie allein weckten in ihm das Bedürfnis sich mitzuteilen. Längst hatte er den Wunsch aufgegeben sich an eine Frau zu binden, wie es andere tun. Die meisten tun es nur aus Bequemlichkeit, oder weil sie nichts mitzuteilen haben.

An diesem Tag hatte er mehrere Adressen angerufen, geduscht, sich im Bademantel einen Sexfilm angeschaut. Er pflegte solche Filme entweder im Pyjama oder im Bademantel anzuschauen. Mittlerweile hatte er eine umfangreiche Videosammlung. Er bevorzugte japanische Produktionen. Er verstand kein Wort japanisch, und die rohen unverstandenen Laute steigerten seinen Genuß. Außerdem waren diese Filme besonders hemmungslos in der Darstellung ausgefallener sexueller Praktiken.

Er mußte entscheiden, ob er eine gewöhnliche, eine devote oder eine dominante Frau aufsuchen wollte. Meistens suchte er eine Frau auf, die alle drei Typen zugleich spielen konnte, weil es ihm schwer fiel eine endgültige Entscheidung zu treffen.

Überhaupt fiel es ihm schwer Entscheidungen zu treffen. Er lebte in der Stadt, in der er nur deshalb lebte, weil er sich für keinen anderen Ort hatte entscheiden können. Nichts sprach dafür hier zu leben, so weit im Norden Europas, wo im Winter die Tage kurz und grau sind und die Menschen mißmutiger als anderswo.

Manchmal halfen ihm die Darsteller in den Filmen eine Stellung zu finden, die er unbedingt ausprobieren wollte. Er bewunderte im Menschen die Fähigkeit etwas nachzumachen. Nur dieser Fähigkeit war es zu verdanken, daß der Mensch auf einem Rad fahren konnte oder flog. Er bestaunte die leistungsfähigen Sexathleten, die mehrere Frauen hintereinander vögelten, ohne daß ihr Glied an Erektionskraft verlor. Überhaupt schienen manche Männer bewunderswerte Schwänze zu haben, prächtig an Größe und Leistungskraft. Und die Frauen in den Filmen waren durchwegs lust- und leidensfähiger als im normalen Leben. Sie öffneten sich den Männern bereitwillig, nahmen sogar zwei geile männliche Glieder gleichzeitig in sich auf und machten den Eindruck, als wollten sie gar nicht mehr aufhören. Es interessierte ihn nicht, ob das alles gestellt war oder echt. Er hatte es längst aufgegeben, das Echte von der Fälschung zu unterscheiden. Alles im Leben erschien ihm echt wie auch gefälscht. Genau wie seine Geschichten.

Das, was ihm an diesem gewöhnlichen Tag zustieß, war nichts anderes als die Wirklichkeit und hätte doch nur eine gewagte Einbildung sein können. Mit einigen Gedichten im Rucksack, die er noch korrigieren wollte, machte er sich auf den Weg durch die Stadt. Er hatte mit einer der Frauen gesprochen, die regelmäßig in der Zeitung inserierten. Er hatte sie bislang nicht beachtet, weil sie in einem entlegenen Bezirk der Stadt wirkte. Als er nach langer U-Bahn-Fahrt in der Nähe ihres Domizils ausstieg, bemerkte er, daß die beschriebene Straße entlang einer stillgelegten Bahnstrecke verlief.

So vieles war stillgelegt in dieser Stadt. Man konnte sich nur schwer vorstellen, daß irgendwann einmal alles wieder belebt werden könnte. Er war etwas zu früh, als er vor ihrer Tür stand. Eine dominante Dame darf man nicht zu früh aufsuchen. Oder sollte er sich doch nur massieren lassen? Oder es vielleicht doch bei einem Vorgespräch belassen? Um seine Finanzen stand es nicht so gut. Die Zahl seiner kostspieligen Begegnungen stand schon lange nicht mehr in einem gesunden Verhältnis zu der Zahl der Geschichten, die er absetzen konnte. Soeben war eine Zeitschrift Pleite gegangen, die ihm regelmäßig Geschichten abgenommen hatte.
Früher hatte er mit dem Gedanken gespielt eine eigene Zeitschrift zu gründen. Damals glaubte er auch noch daran, daß man die Welt verändern konnte.

Er ging vor dem Hauseingang auf und ab. Ein kasernenartiger Bau aus den fünfziger Jahren. Ein leichter Regen hatte eingesetzt. Große reichbelaubte Bäume schützten ihn vor den Tropfen. Sein Blick fiel auf einen alten Mann, der aus einem der gegenüberliegenden Fenster schaute. Er mußte ihn gesehen haben, auch wenn in seinem Gesichtsausdruck nichts war, was darauf hindeutete. Vielleicht ist es ein Blinder, der hinausschaut, weil es regnet, dachte er sich. Blinde orientieren sich an Geräuschen. Der alte Mann im Fenster sieht auch nicht die Gleise, die vor seiner Tür verlaufen. Das ist auch unerheblich. Es fahren nicht einmal mehr Güterzüge durch, und die Fahrgeräusche alter Reichsbahnwagen, die einst von hier aus in den Osten gefahren sind, sind verklungen. Wenn man sich erinnert, zweifelt man an der Richtigkeit von Beobachtungen. Aber ohne Erinnerungen kann man nicht mehr genau beobachten. Der Mann ist vielleicht gar nicht blind. Ihm fehlt nicht das Augenlicht. Ihm fehlen die Erinnerungen.

Er überlegte einen Moment, ob er umkehren und diese ihm spontan eingefallenen Sätze aufschreiben sollte. Du wirst immer bescheidener, schimpfte er mit sich. Da oben im siebten Stock, sechs Treppen mit Aufzug, eine Treppe zu Fuß, wartet eine lüsterne Schönheit auf dich, der Beschreibung am Telephon nach einsfünfundsiebzig groß, schlank, lange schwarze Haare, ein Dachgarten, die Sonne, die bald die Wolken aufreißen wird, und du läßt dich von einem alten Mann ablenken, von dem du nicht einmal weißt, ob er blind ist, oder sich an nichts mehr erinnern kann.

Er zweifelte an sich. Wer will schon sehen, was ich mitbringe? Der alte Mann liest keine Gedichte. Ob sich die Frau für die Spielzeuge interessiert, die in meinem Rucksack sind, gut versteckt unter den Gedichten? Ich hätte sie auch in Zeitungspapier einwickeln können.
In diesem Moment faßte er den Entschluß seine Spielzeuge zu opfern. Sie hatten ihm lange genug gedient. Das eine, das innen hohl war, verlängerte seinen Schwanz er-

heblich und erschwerte so die Arbeit devoter Damen, die ihrem Meister ihr Arschloch zur Verfügung stellten. Vielleicht vergrößerte es auch ihre Lust. Wer weiß das schon so genau. Die Lady sollte nicht ihn, sondern seine Mitbringsel traktieren, sie mit ihren Füßen in Schach halten. Sie auf einen Stuhl legen und mit ihren Stöckeln auf ihnen auf- und abfahren, die frechere der beiden, die innen hohle, in die Hand nehmen, sie festdrücken, sie an ihren Mund führen, ihr in die Spitze beißen, mit der Zungenspitze befeuchten, einen spitzen Stift in ihr Pißloch schieben, sie fesseln und mit Nadeln bearbeiten. Manchmal stecken bis zu siebzig Nadeln in so einem Schwanz und der Besitzer muß nach der Behandlung wochenlang aussetzen. Er pißt Blut und alles in ihm kocht, wenn er an seine Herrin denkt.

Nein, er konnte jetzt nicht umkehren. Jedesmal wenn er vor einer solchen Haustür stand und zweifelte, schob ihn eine unsichtbare Hand hinein. Heute war er zu früh. Es herrschte in der Stadt viel Verkehr in diesen Abendstunden, so daß man mit der U-Bahn schneller unterwegs war als mit dem Auto. Als er ins Haus ging, wurde der Regen stärker. Wind war aufgekommen und die großen Bäume in der Straße hatten Mühe ihre Blätter zusammenzuhalten.

»Warst du schon mal da? Du kommst mir bekannt vor.«
»Vielleicht in einem anderen Leben.«
Die Frau lacht. Ein gutes Zeichen, wenn eine Frau, die einen solchen Mann empfängt, an der Tür lacht. In einer solchen Situation kann Lachen schon sehr intim wirken, und

alles Intime gehört hier zum Service, hat also seinen Preis, über den vorher verhandelt werden muß. Sie begleitete ihn ins Studio. An den Wänden, die mit roten Tapeten bezogen waren, hingen die üblichen Werkzeuge.

»Was hast du dir vorgestellt?«

Er redet. Er hat mehrere Varianten von Inszenierungen im Kopf, die er sich im Laufe der Zeit zurechtgelegt hat. Manchmal weicht er von seinem Text ab, dann redet er langsamer, aber er bleibt stets ruhig, versucht den Blick der Frau einzufangen. Er darf nicht zu viel verraten. Nichts aussprechen, was ihm dann später in seiner Geschichte fehlt. Er muß in diesem Vorgespräch vor allem erspüren, ob sich seine Investition lohnen könnte. Er ist doch nicht wegen seiner Geilheit hier, sondern weil er eine Geschichte mitnehmen will.

Die Frau war schöner, als er sie sich vorgestellt hatte. Das kam selten vor. Sie war groß, Ende dreißig, mit etwas groben Händen, mit Gesichtszügen, die Nähe und Distanz, Härte und Weichheit zugleich ausstrahlten. Er schaute sich die Hände der Frauen immer genau an. Sie waren das Erste und das Letzte, was er an ihnen berührte.

Sie nahm seine Mitbringsel in die Hand, prüfte jedes Stück einzeln.

»Das können wir gerne machen.«

Sie biß mit den Zähnen auf die Lippen und blickte ihm zum ersten Mal tief in die Augen. Er deutete dies als ein Zeichen von Geilheit. Der Regen schlug heftig gegen das Dach. Den Dachgarten werde ich nicht sehen, dachte er bei sich. Das Finanzielle hatten sie schnell geregelt. Er wunderte sich über das niedrige Honorar. Er fühlte sich

geschmeichelt. Woher hätte er wissen sollen, was ihn er-
wartete.

»Leg dich auf die Pritsche und schön die Beine auseinander. Ich werde dich jetzt fesseln.«

Das war nicht abgesprochen.

Er widersetzt sich nicht. Die Frau fesselt ihn, bindet ihm
die Augen zu. Er hört wie sie den Raum verläßt. Nach einer Weile, einige Minuten, vielleicht auch eine Viertel-
stunde, hört er Schritte, die Tür geht auf. Sie ist nicht allein, schießt es ihm durch den Kopf. Ich werde vorge-
führt.

»Das gilt nicht«, flüstert sie ihm höhnisch ins Ohr, »wenn
du deine Freunde mitbringst, hole ich auch meine, die sind
nicht schlechter gebaut als deine Kerle, wie du gleich merken wirst, und die sind auch noch echt.«

Er spürt Hände auf seinem Körper. Unterschiedlich große, unterschiedlich warme Hände. Sie langen überall hin,
ohne ihn zu fragen, lautlos. Es ist nicht unangenehm. Er
riecht ihre Schwänze. Er spürt sie. Zuerst auf seinem
Bauch. Dann an seinen Wangen. Wird er sie in den Mund
nehmen müssen? Werden sie ihn ficken? Er spürt, wie sie
wachsen und steifer werden.

Der Staatsanwalt knöpft sein Hemd auf. Dann legt er den
Stift aus der Hand, steht auf und geht ans offene Fenster
und schnappt nach Luft. Er geht wieder zurück an den
Tisch, reißt die Seiten, die er soeben vollgeschrieben hat,
aus dem Heft heraus, zerknüllt sie, wirft sie in den Papier-
korb. Er hält einen Moment inne, holt dann das zerknüllte
Papier wieder heraus, zerschnippelt es mit einer Schere,

sammelt alle Schnipsel sorgfältig auf, geht ins Bad und wirft sie ins Klo. Er betätigt die Spülung zwei Mal. Dann geht er wieder an seinen Schreibtisch zurück, setzt sich, lehnt sich zurück, drückt auf den Knopf seines Aufnahmegerätes und beginnt zu formulieren: »Die Angeklagten, Hohes Gericht, haben sich schuldig gemacht an einem besonders gemeinen Verbrechen. Sie haben das Opfer, einen wehrlosen Mann, stundenlang gefoltert, sexuell mißbraucht und zu Tode gewürgt. Die Leiche haben sie dann kaltblütig unweit vom Tatort an einem stillgelegten Bahngleis verscharrt. Ein paar Tage später haben sie ihn dort wieder ausgegraben, in einem Kofferraum quer durch die Stadt transportiert und an einer verlassenen Stelle im Osten in die Spree geworfen. Es ist der Aufmerksamkeit des Zeugen A. zu verdanken, daß dieser abscheuliche Fall überhaupt aufgeklärt werden konnte. Trotz seines hohen Alters ist Herr A., der gegenüber dem Tatort wohnt, oft mit seinem Hund in der Gegend unterwegs und besitzt ein ausgezeichnetes Gedächtnis. So können wir den Tathergang einigermaßen sicher rekonstruieren.«
Er drückt auf die Stopptaste, spult zurück und hört sich den aufgezeichneten Text an, überlegt einen Moment und spricht weiter: »Abscheulich wird gestrichen ...«

Soll man der Täterin glauben, die behauptet, das Opfer habe seinen Tod selbst gewollt? Selbst die Todesart habe er selbst bestimmt. Also kein grausamer Mord an einem Hilflosen sondern Sterbehilfe? Sie legt als Beweisstück ein Notizbuch vor, in dem tatsächlich von den Behandlungsmethoden die Rede ist, die zum Tod des Opfers geführt haben. Sie behauptet, das Opfer habe es ihr beim Vorgespräch, das bei derartigen Terminen üblich sei, gegeben.

Es muß festgestellt werden, ob die Handschrift authentisch ist. Keine einfache Sache, denn vom Opfer ist sonst nichts Handschriftliches überliefert. Fast alles hat er mit dem Computer oder einer elektrischen Schreibmaschine geschrieben, nur die Anweisungen, die seinen Tod betreffen sollen, mit der Hand. Klingt das überzeugend? Daß ein Lebensmüder, angenommen, er war einer, sich keinen billigen, unspektakulären Tod wünscht, scheint in unserer heldenarmen Zeit durchaus verständlich. Unser Leben endet mit vielen belanglosen Todesarten. Warum also nicht in den Händen einer schönen Frau sterben?

Die Frau ist Ende Dreißig. Sie macht einen guten Eindruck vor Gericht. Sie ist korrekt gekleidet. Man merkt, daß sie nicht nur mit Männern umgehen kann, sondern auch einen Blick für Menschen hat. Ihre geübten Blicke beeindrucken sogar den Richter, denkt der Staatsanwalt. Er spricht bedächtiger als sonst, gibt sich Mühe höflich zu erscheinen. Seine Augen nehmen ihren Blick ganz auf. Ein Sachverständiger gibt ihr Recht. Es gäbe mehrere ähnliche Fälle. Er bezeichnet sie als »Selbstaufgabe«. Geht sogar so weit zu behaupten, die Opfer empfänden ihren grausamen Tod als besonders lustvoll. Unsereiner wünscht sich einen ruhigen Tod, möglichst ohne Schmerzen, in einer vertrauten Umgebung, zuhause friedlich einschlafen und nicht in den Armen einer Nutte, die sich dunklen, grausamen Spielen verschrieben hat. Ein Staatsanwalt muß die Welt nicht deuten, es reicht, wenn das Gesetz sie ihm erklärt. Aber in diesem Fall?

Auf Totschlag plädieren, oder auf Mord, auf Lustmord? Der Staatsanwalt leiht sich aus der Bibliothek einige Bücher über Lustmord aus. Einer der Titel lautet: »Lustmord in der Weimarer Republik«. Berlin war schon immer ein Ort des lüsternen Sterbens. Das ausschweifende Leben endet oft in Selbstzerstörung oder in wüsten Ordnungsphantasien. Ist es ein Zufall, daß Hitler in dieser Stadt residierte? Seine Herrschaft kreuzte Ordnungs- und Zerstörungsphantasien zu einer einmaligen Architektur. Das Thema lädt zu Exkursen ein. Es handelt sich in unserem Fall um einen rituellen Mord. Der Mörder ist an die Weisungen seines Opfers gebunden. Menschen greifen auf der Suche nach ihren verlorenen Instinkten auf uralte Rituale zurück. Diese Rituale sind durch die Aufklärung nicht aus dem Menschheitsgedächtnis getilgt worden. Sie wurden nur in einem anderen etwas verborgener liegenden Fach gespeichert, keineswegs unzugänglich. Rituale sind Phantasien, die für jeden zugänglich sind. Natürlich muß nicht nach jedem Ritual gestorben werden. Es reicht oft aus, den Tod zu phantasieren.

Das Opfer führte ein ungeordnetes Leben. Viele Reisen. Eine unaufgeräumte Wohnung. Wer viel reist, hat meistens keine Zeit für die Ordnung zuhause. Er besaß immerhin eine Eigentumswohnung. Als Beruf Schriftsteller, keine nennenswerten Publikationen.

Die Täterin gibt an, das Opfer nicht gut gekannt zu haben. Sie ist sich nicht sicher, ob er vorher schon einmal bei ihr gewesen war. Aber keine der männlichen Zofen kann sich an einen solchen Besuch erinnern.

Oft begibt man sich in Todesnähe, um den eigenen Lebenswillen stärker zu spüren. Man verweilt eine Weile am Abgrund und kehrt stärker geworden ins Leben zurück. Doch welche Stärke ist es, die einen unsterblich macht? Diese Frage findet sich unter den Notizen des Opfers. Aus der Sicht des Staatsanwalts eine lästige unnütze philosophische Frage. Das Opfer lebte allein. Er war nicht arm, aber auch nicht wohlhabend. Es reichte wohl zum Leben. Fast alles Geld gab er für seine Leidenschaft aus. Niemand vermißt ihn. Er hatte keine Verwandten. Man könnte seine Akte ruhig schließen.

Der Staatsanwalt bekommt einen Anruf vom Standesamt. Das Opfer hat sich mit achtzehn Jahren einbürgern lassen. Bei dieser Gelegenheit hat er sich auch einen anderen Namen geben lassen. Wenn man umzieht, ändert sich ja auch die Telephonnummer. Und wo der herkommt, das ist weit weg. Vor- und Zunamen kann man bei der Einbürgerung ändern. Das steht jedem zu, der die deutsche Staatsbürgerschaft annimmt und keine halben Sachen mag. Das war vor zwanzig Jahren. Es steckten also in dem Mann zwei Personen. Wenn die eine Person gestorben ist, lebt dann die andere weiter?

»Strom hat eine reinigende Kraft.« In den Notizen des Opfers finden sich Selbstmordgedanken. In einem Text mit dem Titel »Intimität« heißt es:

»Als ich heute morgen aufstand, hatte ich keinen Grund mehr einen Kaffee zu kochen. Ich hatte über Nacht die Fenster in der Küche aufgelassen, so daß es dort nun zum Sitzen zu kalt war. Ich warf die Morgenzeitung ungelesen zum Altpapier. Ich schrieb keine einzige Zeile. Es kam kein Anruf. Wäre einer gekommen, hätte ich auch nicht abgenommen. Ich war lustig drauf und erzählte mir Witze. Ich kenne viele Witze auswendig. Ich kann sie mir leichter merken als Orts- und Straßennamen. Witze füllen in meinem Kopf die Lücken aus, die meine Gedanken hinterlassen. Man kann gedankenlos leben. Aber nicht ohne Gedanken sterben. Ich denke, also werde ich sterben.«

»Die innere Unruhe des Opfers …« Der Staatsanwalt unterbricht, die Formulierung »innere Unruhe« gefällt ihm nicht. Ich habe nichts als eine gemarterte Leiche. Und seine Notizen? Sind die Notizen nicht wie ein zweiter, unversehrt gebliebener Körper? Haben sie ihn nicht überlebt?

Der Staatsanwalt hat Schweiß auf der Stirn. Der Schweiß fühlt sich fremd und kalt an. So, als käme die Feuchtigkeit nicht aus seinem Körper, sondern von außen. Vielleicht ist es auch der Schweiß seiner Herrin, der wie die Perlen einer Kette auf sein Gesicht tropft. Er spürt Schmerzen, aber anders als sonst. Die Schmerzen fühlen sich an wie Feuchtigkeit. Er keucht. »Wirst du einer Frau jemals wieder unter den Rock greifen, du böser Bub, sag, wirst du, wirst du jemals wieder …?« Er spürt irgendwo in seinen Körper eine Nadel eindringen, die kalte, spitze Verlängerung eines soeben noch zärtlichen Fingers. »Wirst du?« Diese Frage hallt dem Staatsanwalt auf dem Nachhauseweg im Kopf nach. Beim Duschen wundert er sich über die Spuren auf seinem Körper, rote Einstichstellen, dunkelblaue Blutergüsse. Wann hat er sich das alles zugezogen? Er kann sich gar nicht mehr erinnern, irgendwo anders als an seinem Schreibtisch gewesen zu sein. Aber diese seltsamen Spuren, die ihm so fremd sind, daß er glaubt, sie würden von einem anderen Körper stammen, verschwinden unter dem Hemd. Das beruhigt ihn.

Der Staatsanwalt setzt sich an seinen Schreibtisch und verfaßt einen zwei Seiten langen Text. Er gibt dem Text den Titel: »Intime Verfremdung«.

Er wird auf Freispruch plädieren.
Er wird den Fall wegen Befangenheit abgeben.
Er steht den Fall nicht durch.
Seine berufliche Reputation ist in Gefahr.
Die berufliche Reputation eines Mannes in unserer Zivilisation ist so etwas ähnliches wie der Jagdspeer eines Buschkriegers.

Fünf Jahre wären angemessen für die Täterin. Ein Jahr auf Bewährung für die Zofen. Sie sind so hörig, daß sie fast unzurechnungsfähig sind. Sollte man nicht alle zusammen in eine Nervenheilanstalt einliefern?
Ein Fall für die Presse. Eine Serie von Artikeln erscheint.
Sadomasochismus wird in allen Talk-Shows zum Leitthema.
Spezialgeschäfte haben Zulauf.

Das Opfer lebte allein, war vielleicht einsam. Aber sein Tod beschäftigt viele. Es wird befürchtet, daß es Nachahmer geben könnte. Kriminalkommissare machen Anspielungen auf Goethes Werther. Psychologen analysieren den Weg von einer enttäuschten Liebe zu einem selbstzerstörerischen Impuls. Sind Selbstzerstörer in unserer Gesellschaft nicht auch aggressiv? Was wäre, wenn einer sich in der Öffentlichkeit in die Luft sprengt, etwa in einem Hochhaus?

Das Opfer hatte keine Ideologie. Im Mittelpunkt seines Lebens stand die Inszenierung des eigenen Todes.

In seiner Wohnung wurden gefunden: eine sehr große Holzplatte auf zwei Böcken, darauf ein Computer mit nagelneuer Software, eine elektrische Schreibmaschine, ein Laserdrucker, unter der Platte ein Vorrat von mehreren Kartons mit Schreibpapier, auf einem Regal an der Wand vier Aktenordner mit Manuskripten, insgesamt 3294 Seiten auf Deutsch, 410 Seiten auf Türkisch, einige Seiten auf Italienisch und Englisch. Sieben offene unaufgeräumte Koffer mit Büchern, Kleidung und Geschirr.

Die Akademie interessiert sich für den Nachlaß. Außer den Manuskripten nichts Persönliches, keine Briefe, auch kein Abschiedsbrief. Keine Bankauszüge, keine Steuererklärungen. Recherchen ergeben, daß er nie eine Steuererklärung abgegeben hatte. Nachdem das Finanzamt bei einer Prüfung feststellte, daß er kein Arbeitseinkommen hatte, ließ man ihn in Ruhe. Man hatte nicht den Eindruck gewonnen, als würde der Geprüfte in absehbarer Zeit Geld verdienen.

Meine Figuren sind meine Leser. Sie tauchen in meinen Monologen immer dann auf, wenn ich mit jemand sprechen will. Sie fahren mir zwischen die Worte, geben Kommentare ab, werden plötzlich Teil einer unvorhersehbaren Handlung, verschwinden dann so sang- und klanglos, wie sie aufgetaucht sind. Es gibt auch Leser, die Furien sind. Sie verwirren die Handlung, bringen mich durcheinander, sprechen Sprachen, die ich nicht verstehe oder verstehen will. Sie kleben an mir, verwechseln mein Leben mit ihrem eigenen Leben. Sie wollen mich überreden in einer anderen Sprache als meiner eigenen zu schreiben. Ich kann nur in einer Sprache schreiben. Wer Geschichten schreiben will, muß Geheimnisse haben, mit denen er die Leser locken kann. Man kann nur in einer Sprache Geheimnisse haben.

Ich liebe die deutsche Sprache für Worte wie »Selbstaufgabe«, »Selbstvergessenheit«, »Selbstlosigkeit«. Wird in diesen Worten nicht der wahre Charakter von Liebe deutlich?

Beim Schreiben wird mir nie langweilig. Es ist, als schaue man aus dem Fenster und vergesse dabei sich selbst. Inzwischen wird es draußen dunkel, man schaltet das Zimmerlicht an und blickt in das eigene Gesicht, das vom Fenster gespiegelt wird.

Eine junge Frau besucht den Staatsanwalt. Sie stellt sich als Doktorandin der Germanistik vor. Ein Professor, dessen

Hilfskraft sie sei, würde gerne den Nachlaß untersuchen. Er habe sich auf die Nachlässe von Schriftstellern spezialisiert, die den Freitod wählten. Diese Werke seien meistens bedeutender als die Werke von Autoren, die einen gewöhnlichen Tod sterben. Heutzutage gebe es zu viele literarisch unbedeutende Arbeiten, die nur deshalb veröffentlicht würden, weil wir manische Sammler seien. Wir wollten nicht, daß uns irgendetwas entgehe.

Die große blonde Frau im kurzen gelb-weiß gestreiften Minirock wirkt auf den Staatsanwalt wie eine Kommissarin. Sie trägt keine Strümpfe. Der Staatsanwalt findet nackte Füße in Schuhen erotisch. Auf ihren langen, gutgeformten Beinen schimmern feine Härchen. Der Staatsanwalt faßt Vertrauen in sie, legt beim Abschied seine Hand väterlich auf ihre Schulter. »Berichten Sie mir wöchentlich von Ihrer Arbeit«, ruft er ihr nach. »Jedes Detail kann wichtig sein.«

Der Professor hat sich nicht nur auf Nachlässe spezialisiert, er ist auch ein hervorragender Kenner der deutschen Romantik und erotischer Weltliteratur. Er hat ein Standardwerk über das Verhältnis der deutschen Romantiker zum weiblichen Körper geschrieben. Ein Buch, das von der feministischen Literaturwissenschaft angefeindet wird. Zur Zeit beschäftigt er sich damit, wie zeitgenössische Autoren in ihren Texten mit Homosexualität umgehen. »Sprache ist wie Wasser, in der man fast alles auflösen kann. Nur wenige schmecken noch die Zutaten.« Mit Sätzen wie diesem pflegt er seine Einführungsvorlesung in die Neuere deutsche Literatur zu beginnen.

Wenn man als Wissenschaftler einen Nachlaß durch-
leuchten will, muß man anders vorgehen als die Polizei
bei ihren Nachforschungen. Während der Kriminalist auf
Zeugen und Gesprächspartner angewiesen ist, sucht der
Literaturexperte die Stille. Er forscht nach dem Ungesag-
ten. Was verheimlicht der Autor in seinem Text? Wird
der Text ihn nicht immer verraten, wenn man ihn genau
liest?

Aus der Fülle von Manuskripten, deren Lektüre einige
Tage in Anspruch nimmt, wählt der Professor einige Texte
für eine genaue Analyse aus.
Der Autor hat seine Texte nicht datiert, hat sie auch nicht
mit Überschriften versehen. Der Leser muß sich an den
Figuren orientieren, die immer wieder auftauchen. Es sind
dieselben Figuren, wenn auch mit unterschiedlichen
Namen, Berufen, Lebensorten und Situationen. Trotz ihrer unterschiedlichen Identitäten erkennt man sie anhand
ihrer Eigenschaften und ihrer persönlichen Sprache wieder.

Nach dem Beruf gefragt gibt die Hauptfigur in den Manuskripten an, er sei Diamantenhändler, oft unterwegs.
Zuletzt sei er im Jemen gewesen, wo er ein paar besonders
kostbare Ringe erworben habe. Geschichten von alten
Ringen aus dem Orient liest jeder gerne. Man hat das Gefühl, die Schatzinsel wäre nur einen Katzensprung ent-
fernt.

Der Professor war müde. Er legte den Stift aus der Hand

und ordnete seine Notizen. Sein Tisch war voll belegt mit Zeitungsausschnitten, handschriftlichen Notizen auf gelben amerikanischen Notizblöcken, Büchern und Kopien aus dem Manuskript, das er bearbeitete. Er schaute aus dem Fenster seines Arbeitszimmers. Es war ein grauer Novembertag. Über dem Kanal kamen ein paar Möwen aus dem Nebel, flogen einen Halbkreis und tauchten wieder ein. Der Professor rief seine Hilfskraft an und verabredete sich mit ihr zum Abendessen. Sie würden wieder über das Opfer sprechen. Beide waren froh über das neue gemeinsame Thema. Schon seit Wochen streiften sie an jener hauchdünnen Linie entlang, die eine Arbeitsbeziehung von einer intimen Beziehung trennt. Wäre dieser Fall nicht aufgetaucht, hätten sie wahrscheinlich nicht mehr gewußt, auf welcher Seite der Linie sie sich befanden.

Bevor der Professor die Wohnung verließ, faxte er einen der ausgewählten Textabschnitte an den Staatsanwalt, mit der Bemerkung »Schlüsseltext, genaue Analyse folgt«.

Draußen bemerkte er, daß es regnete. Er überlegte einen Moment, ob er zurückgehen und einen Schirm holen sollte. Er hatte keine Lust die drei Treppen hochzugehen. Seit der Scheidung von seiner Frau lebte er in einem Altbau ohne Aufzug. Das Haus am Stadtrand hatte er ihr und den Kindern überlassen. Er lief zur Bushaltestelle. Dort mußte er länger als sonst auf den Bus warten. Im Bus war es klamm. Voller Menschen, die lange im Regen gestanden hatten. Der Professor blieb an der Tür stehen. Er mußte schon an der nächsten Haltestelle aussteigen. Jetzt waren es nur noch ein paar Schritte bis zu dem Lokal, in dem sie sich verabredet hatten.

Sie trafen sich immer beim gleichen Italiener. Im kalten Europa trifft man sich immer beim Italiener, wenn man etwas zu besprechen hat. Sie sprachen an diesem Abend nicht viel.

Neue Literatur aus der Türkei

In ihren fünf Istanbuler Geschichten erzählt Pınar Kür von den Bewohnern eines Mietshauses im Stadtteil Ihlamur: Verblaßte Träume, Lebenslügen, Illusionen und vergessene Lieben werden in den Wohnungen lebendig, in denen die Schicksale sich kreuzen. Ein poetisches, aber auch kritisches Porträt der Metropole Istanbul.

Pınar Kür

Ein verrückter Baum
Istanbuler Geschichten

Pınar Kür

Pınar Kür, 1945 in Bursa/Türkei geboren, wuchs in New York auf, ging dort auf die Universität, studierte in Istanbul und an der Sorbonne in Paris. Seit 1974 lebt sie als freie Schriftstellerin in Istanbul und unterrichtet an der Boğazici Universität Literaturwissenschaften. Pınar Kür hat in der Türkei bislang zwei Erzählbände und fünf Romane, darunter auch einige Krimis veröffentlicht.

BABEL
VERLAG

eue Literatur aus der Türkei

ROMAN

Botenkindermorde
Perihan Mağden

Ein überaus grotesker Kriminalroman
über einen Detektiv, der eigentlich keiner ist und auch keiner sein will. Sein
Auftrag: Die Aufklärung einer Mordserie an
geklonten Botenkindern, von denen niemand in der Stadt am Meer etwas wissen möchte.

Mit subtil ironischer Sprache erzählt
Perihan Mağden vom Leben eines Mannes,
der getrieben von einer heimlichen
Sehnsucht nach Liebe absurde
Abenteuer und komische Dialoge über-
stehen muß. Eine Wut gärt in ihm. Es ist
die Wut über die Unerträglichkeit
einer uniformen Welt, in der die Liebe
nur noch eine Farce ist.

Perihan Mağden

Perihan Mağden wurde 1960 in Istanbul geboren,
schreibt Romane, Gedichte und Kolumnen für die
linke, türkische Tageszeitung *Radikal*. Ihr erster
Roman **Botenkindermorde** erschien in der Türkei
und wurde dort auf Anhieb ein Bestseller.